戦後思想と日本ポストモダン

Postwar thought and Postmodernism in Japan: Their Continuities and Discontinuities

その連続と断絶

林 少陽
Lin Shaoyang

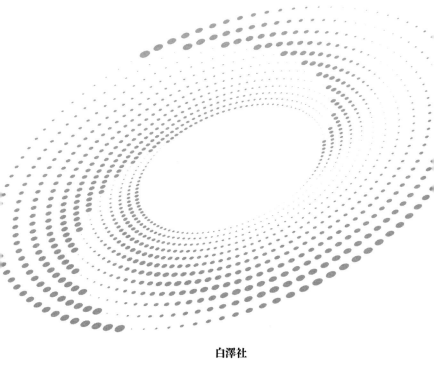

白澤社

戦後思想と日本ポストモダン――その連続と断絶

目次

戦後思想と日本ポストモダン——その連続と断絶◉目次

第二部　「戦後」と歴史性をめぐって

第三部　東アジアの視点から

序　論――戦後思想と現代思想との間に

第一節　東アジアの視点における「戦後思想」と「現代思想」

本書は、特に戦後日本の政治思想史・知識人思想史及び「東アジア」という二つの視点において戦後思想と日本の文脈におけるポストモダン思潮／「現代思想」との間の連続と断絶を論じるものである。そして、戦後日本知識人思想史・政治思想史の文脈においてポストモダン思潮／「現代思想」を歴史化させながら、日本のポストモダン思潮／「現代思想」の意味とその限界をとらえたい。なお「東アジア」とは歴史的政治的文脈における一つの空間ではあるが、同時にグローバルな文脈における漢字圏の思想的文化的文脈のことをも指している。

俗に「ポストモダン」と呼ばれている知的思想的傾向は一九七〇年代末以後、日本において約四十年間近く続いている。それが日本の、いまだに続く長い「戦後」の一部である事実はしばしば見過ごされがちである。本書では輸入思想としてのポストモダン思潮よりは、これらの思想が取り入れられ展開された戦後日本の思想的政治的文脈に分析の焦点を置く。このような視点でとらえる「ポストモダン」思想は、近年すでに日本語として「現代思想」とも呼ばれるようになり、それはこの言葉の新しい用法としてアカデミズムの世界において定着している。[1] この意味において「現代思想」という言葉こそ正真正銘の（特殊な）外来語であるが、漢語で呼ばれていること自体はその西洋出自からの距離と日本という文脈を重視する知識人の意志を同時に表していよう。

管見によれば、日本において「現代思想」という漢語は大正時代（一九一二〜一九二五）から書籍の題名に用いられていた。戦前の「現代思想」は、自由主義、民主主義、社会主義、無政府主義などの社会思想・政治思想を指す場合と、ジェイムズ（米）、オイケン（独）、ベルクソン（仏）、デューイ（米）、ハイデガー（独）など同時代の欧米諸国の哲学思潮を指す場合とがある。この傾向は戦後になっても基本的に継続された。例えば一九六六年刊行の清水幾太郎『現代思想』（岩波書店）は前者の系譜であり、後者についてはサルトル（仏）や分析哲学（英米）等が加えられた。しかし、詳しくは後述するが、一九七〇年代後半から八〇年代にかけて「現代思想」という漢語は主にフランスの、いわゆるポストモダン思潮を指す言葉として通用するようになっていった（現在でも二〇二二年刊行の千葉雅也『現代思想入門』（講談社現代新書）はデリダ、ドゥルーズ、フーコーの思想の解説が大半を占めている）。本書で扱う「現代思想」とは、このような現代の日本文脈におけるポストモダン思潮の四十年の長きにわたる流行と定着を象徴する言葉でもある。

他方、「ポストモダニズム」またはその形容詞型と名詞型の略語の両方を兼ねる「ポストモダン」

という用語についてはあとでも触れるが、とりあえず簡単に説明するならば、一応二通りの、かなり違う意味で使われていると理解される。その一つは、「モダン」（近代）の後（ポスト）に来る時代という時間的な意味においてであり「モダン」（近代）を達成した後の「時代」という意味となる。もう一つは、「モダン」（近代）を、程度の差はあれ批判的に見る思想上の立場としての「ポストモダン」という使い方である。すなわち、「ポストモダン思潮」／「ポストモダニズム」の思想・理論から近代を批判しようとする新しい思想的資源を見いだそうとしながら、それを現地化させようとする思想上の傾向である。

本書では、前者の「ポストモダン」もたまに取り上げるが、むしろ後者の「ポストモダン思潮」／「ポストモダニズム」こそ本書の主題であることを強調しておきたい。そのため、本書ではときどきその主張者を「批判的なポストモダン知識人」と呼ぶこともある。「知識人」が死語となったのも日本の文脈のポストモダン思潮の特徴の一つであるが、この思潮を戦後という大きな文脈に位置づけながらそれをとらえようとする思想史の本書としては、むしろこの死語を復活させながら論を進めていくべきと考えている。

「ポストモダン思想」という概念のほかに、「戦後思想」という対概念も説明しておかなければならない。「対概念」という言葉を使う場合、むしろ「戦後思想」という日本語語彙も「現代思想」という語の新しい用法の登場によって特殊な意味を持つようになることを意味するが、そうでない場合、むしろ「現代思想」も広い意味での「戦後思想」の一環として後者に内包されていると強調するのが本書の立場である。[2] 便宜上、成田龍一の文章を借用しながらこの対概念を説明したい。

戦争経験を核とし、戦後日本を解析する思想を「戦後思想」とするとき、一九八〇年代を通じて、「戦後思想」が失速し、あらたに登場した「現代思想」が支持を広げていきました。ゆっくりと「戦後思想」から、「現代思想」に推移していきます。

戦争責任を論ずるばあいでも、これまでは敗戦直後から積みあげられてきた議論（「悔恨」）をもとに論じられてきましたが、一九八〇年代から九〇年代にかけ、（現代思想を論ずる）エマニュエル・レヴィナスやハンナ・アーレントらを持ち出しながら、戦争責任が論じられる光景が現れました。[3]

成田龍一は「現代思想」以前の「戦後思想」をリベラリズムとマルクス主義であると規定した。[4] 引用文中の「悔恨」とは、丸山眞男（一九一四―一九九六）がその「近代日本の知識人」という論文において使った言葉である。[5] いわゆる「悔恨共同体」とは、戦中から戦後にかけての歴史に裏切られた悔恨の記憶を共有する知識人たちを一つに結びつけていた一種の精神的共同体である。この共同体は、戦争を阻止しえなかったことや、左翼運動から離脱した自責の念を痛感した知識人達から成ったものである。

成田の引用から次のことを読みだすことができる。まず、「戦後思想」と「現代思想」との間には強い関連、特に断絶としての関連があると読み取れる。「断絶としての関連」とはやや逆説的な表現かもしれないが、「差異」「エクリチュール」「テクスト」などの用語《ジャーゴン》が氾濫する空虚な流行としての「ポストモダン」現象が戦後知識人との間の断絶を物語っているとすれば、同じような危機意識により新しい用語《ジャーゴン》に満ちた外来の理論から示唆を得ながら戦後知識人が対面しようとしていた同じ歴史に向かおうとすることが対概念としての「戦後思想」との間の「断絶としての関連」の意味である（むろん程度と規模からみれば両者はあまりにも非対称であることをもう一つの断絶である）。さらに、先に引いた成田の文章から、ポストモダン思潮の中の知識人ですらレヴィナスやアーレントなどの西欧の知識人の言葉を借りないと「日本」「東アジア」について語ることができない、ということも読み取ることができよう。いわば、「方法としてのアジア」ぐらいはあった「戦後思想」時代と比べれば、「現代思想」時代になると「アジア」が「方法として」すら消えてしまい、「方法」としての現代思想」でしか近代を批判しないようになった、と理解できよう。かくして我々は戦後の良心的な知識人とポストモダン思潮における批判的な知識人との間の連続と断絶の両方を見ることができる。成田の文章を読み込みすぎたかもしれないが、「戦後思想」と「現代思想」との間の世代的違いこそ、この文章の問題意識であると理解できる。

第二節　戦後思想における「西欧」及び「中国」／東アジア
――「現代思想」との連続と断絶

西ヨーロッパの哲学／思想は近代日本に莫大な影響を残している。近代中国もヘーゲルとマルクスとの関係が深いが、日本と比べてより実践的である（この実践がもたらした結果をどのように評価するかはともかくとして）。そしてもう一つ対照的なのは、近代中国は日本と比べてカント、特にマックス・ウェーバーとの関連が遙かに薄いのも興味深い点である。[6]戦後日本の社会科学のようなウェーバー体験は社会的政治的事情の異なる中国大陸、ないし中国語圏全体においてはあまりないと言ってよいほどのものである。ついでにいうならば、この四十年間における日本のフランス現代思想ブームのようなものが中国語圏全体においてはあまりみられないのも、知識人思想史的に見て、もう一つの興味深い事実である。

明治維新以来の日本の文化と学問の西洋化にドイツ思想が大きく影響したことはいうまでもないが、明治期の日本の西洋思想の受容は初期においてはイギリスの功利主義やフランスの自由民権思想などの紹介が主であったのに対して、[7]明治二、三十年代からは政治的には国家主義の台頭によりドイツ思想の紹介に重点を移すようになり、その成果として移植観念論の系譜が明治三十年代から形成されるようになった。[8]

戦後になると、戦前と比べて思想的にいっそう西洋化を求めるようになったことが戦後知識人の一つの特徴であろう。戦後の「アジア」は近代史的にも現実的にも停滞したままであり、この停滞は、例えば、中国の国内専制政治およびそれと連鎖関係にある日本をはじめとする帝国主義的軍事的経済的拡張に負うものが多いので、戦後の良心的な知識人にとって「アジア」はかえって道徳的に直面できない対象になったと言えよう。またそうであるがゆえに学問的にも新日本を再出発させるためには、進んだ西洋、革新的な西洋に思想的資源を求めるしかなかったのであろう。

戦後民主主義の時代に誕生した新日本の人文・社会科学の主流は、国民を戦前の天皇信仰から分離させようとしながら近代的な市民社会を建設しようとする政治学者の丸山眞男によって代表されるように、「西欧」の「近代」を基準にその普遍的法則に日本の歴史がどこまで合致しているかいないかということを問題にしてきた（彼の江戸儒学の解釈はこのような意図に奉仕した[9]）。戦後の丸山眞男のようなリベラルな進歩的な知識人にとってはこの「西欧」がある種の倫理性すら有している。このことについては次の彼の言葉からも窺えよう。彼は「近代日本の知識人」という有名な論文において、「知識人の教養内容は、理解の質を別として、圧倒的に西欧の文化的産物に依存しておりましたので、「皇道」や「日本精神」についての出版物の氾濫にもかかわらず、それらは「インテリ」にとっての魅力を甚だしく欠いておりました[10]」。

戦後民主主義を建設する上で日本のリベラリズムにしても共産主義にしても思想的あるいは学問的にマルクスとマックス・ウェーバーが重要な意味を持つようになった（特に前者）。一方、戦後日本のマルクス主義者は、ウェーバーとマルクスを対立させるよりはむしろ相互補完的に理解しようとしたのであった。一方ではウェーバーにある合理主義的進化論のみに注目するならば資本主義を正当化する解釈になりがちであるが[11]、しかし、他方、ウエーバーを近代批判として読む傾向としては、例えば、一九六〇年代からウェーバーのなかに近代批判のモメントを見出そうとする傾向が明らかになり、特にニューレフトの時代のウェーバー解読は「意味喪失」状況と格闘する「ウェーバー」となった[12]。戦後日本の社会学はアメリカ化された過程を経たが、近代批判者としてのウェーバー解読は近代化理論の影響下のもとでマルクス主義と対立するウェーバー像、すなわちアメリカのパーソンズの解釈によって代表される、冷戦下のアメリカの読みの主流とは対照的である[13]。マルクスとウェーバーの対立と補完の両方に対する戦後日本知識人の関心は、カール・レーヴィット（一八九七－一九七三）がウェーバーとマルクスとの共通性を見出そうとした名著『ウェーバーとマルクス』の日本語訳（一九六六）の「訳者後記」からうかがい知れる。「マルクス主義にたいする全く圧倒的な関心とならんで、ウェーバー社会学が大きくとりあげられた（中略）。両者をめぐる一切の問題を仮に「マルクス・ウェーバー問題」と呼ぶことを許されるだろう」、と[14]。戦後日本においてこのような相互補完する「ウェーバーとマルクス」像に貢献したのは、周知の通り、上の翻訳と同じ年に出た大塚久雄（一九〇七－一九九六）の名著『社会科学の方法――ヴェーバーとマルクス』である。このような戦後日本のウェーバー解読については、森政稔が指摘した通り、確かにウェーバーのなかには近代批判のモメントも認められるが、近代の批判者と見るのは一面的なウェーバー像であり、あくまでも「近代の両義性を問題にした思想家」だと見るべきであろう[15]。

また、戦後思想においてヘーゲルがマルクス主義者に対しても非マルクス主義者に対しても大きな影響を有している。ヘーゲルも、ヨーロッパ形而上学の近代的な高峰としてのみならず、マルクス主義的な「弁証法」への関心もあって重視された[16]。他方、非マルクス主義者にとっては、例えば、丸山眞男は若いころ、南原繁（一八八九－一九七四）の、ヘーゲル『歴史における理性』の講義に出た際の気持ちを「ヘーゲルは私を圧倒的に魅惑した」と語った[17]。もちろん南原繁のような新カント主義者はヘーゲルに批判的ではあるが、それはむしろ少数派と言える。

とは言え、丸山眞男のような非「マルクス主義者」に対するマルクスの影響も無視できない。例えば、アメリカの日本史研究者のアンドリュー・バーシェイは戦後日本の社会科学の思想史を扱う本において丸山眞男を「講座派の「特殊性論」的マルクス主義の批判的な遺産継承者」と見た[18]。日本マルクス主義の系統は講座派と労農派に分かれており、講座派は政治的には日本共産党の系統であるが、日本資本主義の半封建的性格を強調した。労農派は一九二七年に創刊した雑誌『労農』を中心に集まったマルクス主義者であり、政党的には日本社会党の流れであり明治維新をブルジョア革命と主張した。明治維新を講座派のように絶対主義の成立だと見るならば、ブルジョア民主主義革命が優先すべき政治的課題でなければならないが、労農派の立場であれば、天皇制は経済の実態とは切り離されるべき政治的制度にほかならない。この点については講座派は天皇制を農村に広範に展開した固有の寄生的地主という経済的基盤を持つものと見た[19]。

本書において大きく取り上げることとなる日本「現代思想」の代表的思想家である柄谷行人

（一九四一―）も丸山についてバーシェイと似たような見解を示した（バーシェイの丸山解読の複雑さを論外とするならば）。柄谷によれば、天皇制をはじめとする日本の「封建的残存物」を、講座派が経済的下部構造から説明しようとして挫折したところを、経済的下部構造から相対的に自立した政治的な次元を見ようとしたのが丸山政治学である。そしてそれを観念的上部構造の歴史から見ようとしたのが丸山日本思想史である。柄谷から見れば、丸山は、マックス・ウェーバーや、カール・シュミット、フロイト心理学などを応用した点においても、文化などの上部構造の自立性を強調した意味においても、むしろドイツのフランクフルト学派のマルクス主義とタイプとしては近いということである。[20] ちなみに柄谷のこの丸山解読は丸山の名著『現代政治の思想と行動』の中国語版が出版された際に翻訳者陳力衛（成城大学教授）の要望で書いた序文である。[21] 本書は中国で出版されるとすぐに中国の新聞『新京報』のベストテンに入った。そこに日本の代表的な知識人による「戦争」「ファシズム」「戦後」をめぐる思考に対する中国読者の熱いまなざしと強い関心があることはいうまでもない。と同時に、同書の中国の読者の関心の背後には自分自身の「ポスト文革」に対する知識人の責任感と思考があることも断っておきたい。柄谷はこの序文において丸山眞男が常に中国を念頭に置いていることを強調した。この「中国」とはほかならず丸山眞男における「戦後」の同義語でもあると理解すべきであろう。

知的思想的西洋化が主流であった戦後日本文脈で、日本の中国学の存在は知識人思想史の側面から見て興味深い。学問全体から言うと、戦後日本の、民主主義を含む新しい「西洋化」の過程のなかで、「中国」は単にこのマクロなシーンの一つの背景、または一つの参照物として機能したにほかならない、と言える。一方、一般の知識人にとっては「中国」はその「社会主義」「革命」によって西欧的「近代性」を補強するようなものとして機能した。すなわち「中国革命」や「中国の社会主義」という「近代性」は、西欧的な「近代」を標準に測定され、西欧的な「近代」によって解消された、という意味である。このようなことは完全に日本の知的世界が西洋中心的である事実に由来するだけではない（この西洋中心はむろん明治以來の西洋化的近代化と無関係ではない）。中国においても清末に起源をもつ社会主義運動が一九二〇年代以降からマルクス主義と、さらにリベラリズムにますます影響されるようになり西洋的色彩を有するようになった。

しかし、戦後の日本文脈における知的思想的西洋化の傾向に対する反動なのか、日本の中国学は独自の課題を抱えながら戦後日本の文脈においてその思想的な役割を果たした。まず、一部の中国研究者が、「中国革命」や「中国の社会主義」に、「西欧」に抵抗するための「もう一つの近代」という価値を賦与したことで、中国学は日本知識人自体の西洋中心的な近代観を相対化する装置としても機能した（例えば竹内好〔一九一〇－一九七七〕などによって代表される日本の魯迅研究などがそうである）。戦後、かつて侵略した中国が現実的には革命の成功によって毛沢東型の社会主義の実験地となったことは戦後の日本の知識人にとっては政治的にも道徳的にも特別な意味を持ったのであろう。戦後日本の知識人のイメージのなかで新中国は反帝国主義、反資本主義、ないし反西洋のシンボルとなった。西洋化の近代の反動と、理念としての「社会主義」「中国」への憧憬、加えて戦争の否定と反省、戦争と天皇制との関連、戦後日本のアメリカ占領とアメリカによる日本戦前・戦中権力との結託、日米安保条約などは戦後日本の中国学の思想的背景となったと言える。近代中国から近代批判のソースを見いだそうとするのも日本中国学の一つの特徴であろう。そもそもアジアにおいて近代化を率先して成し遂げようとした日本には、近代批判の思想も明治中期以来あったからである（文学者夏目漱石が一つの例である）。

実際早くも戦前において、逆の方向であったが東洋史の分野においても、「中国革命」「中国の社会主義」とは関係のない形で、宋（九六〇～一二七九）という中国の「近代」の発見、または「唐宋変革」という「近代」を発見したこと（「近世」説）を通して、日本自体の西洋中心的な近代を相対化しようとしていた（いわゆる「唐宋変革論」）。これは戦前の内藤湖南（一八六六－一九三四）、戦後においてはその弟子の宮崎市定（一九〇一－一九九五）などによって代表される日本の中国史研究者の、中国の近世は宋から始まっているという見解に典型的に見られる[22]。似たような戦後の延長として代表的なものは宋、特に明の思想を挫折した「近代」として見る島田虔次（一九一七－二〇〇〇）の解釈がある[23]。

このような戦後日本の中国学を戦後日本知識人の西洋中心的な傾向との関係性において見ることも必要であろう。すなわち西洋中心的な日本近代、とりわけ戦後のアメリカ追随に対する反動としての中国学である。戦後世代の中国史家の岸本美緒（一九五二－）が「戦後日本の東洋史学は、常に西洋からの視線へのある種の反発を原動力として展開してきた、といってもよいかもしれない」

と述べている。[24] J・A・フォーゲルもその内藤湖南論において「日本人の中国史研究はつねに自己認識（self-definition）の問題を伴ってきた」と指摘した。[25] 思想史的に見れば、まさにそうであるがゆえに、近年の中国の台頭は、日本の中国学に大きな課題をもたらしてしまったといえる。現実の中国の台頭によって「方法としての中国」が機能できなくなったとき、または現実の中国が日本のナショナリズムの「方法」でしかなくなったとき、日本の中国学の行方が大きな課題となってくる。

第三節 「よそ」普遍主義と「うち」土着主義との悪循環——丸山眞男の忠告

戦後日本の知識人思想のさらなる西洋化と戦後日本の中国学、さらに七〇年代末から二〇一〇年代までの日本のポストモダン思潮の展開という三つの話題は一見すると関連のないことのように見えるが、知識人思想史的に見れば大きく関連している。一九八九年以後、「方法としての中国」が日本の中国学の分野において問題になってきて、そして徐々に日本人の若い中国研究者が減ってきている。日本における中国学の衰退は、ちょうど日本のポストモダン思潮の流行と重なっている。この「此消彼長」が、偶然ではないとすれば、興味深い。少なくとも両者が文脈を共有していることは事実なので、日本のポストモダン思潮を思想史的に見る上での一助になる。

丸山眞男はかつて「模範国家は古代では隋・唐であり、その後も長い間、聖人の統治した太古の中国でしたが、幕末維新以後、それは「欧米」にきりかえられました。マルクス主義の場合でさえ、その普遍主義はソ連とか、コミンテルンとかいう、現実の国家もしくは特定集団と同一化する傾向を免れませんでした[26]」（強調は丸山）。丸山はまた、「ニーチェからサルトルに至るまでの非常に難解な哲学的著作が続々と翻訳され、これまた数万ないし十数万におよぶ発行部数を持っているということ、これも必ずしも戦後現象ではないのです。一つの例としてマルクス・エンゲルス全集の例をあげますと、これは一九二八年改造社から刊行され始め、五年間で完結されました。こういう全集は当時ソ連にもなく、世界で唯一の包括的な収集です。（中略）全部を平均しても一冊十二万部でありました[27]。」と述べた。四十年間近くにわたる日本のポストモダンブームは見事に丸山の描いた傾向を表した。

知の欧米化、または欧米理論への過剰な情熱は明治以来における近代的構造であると言えよう。戦後日本の知識人にとって西欧思想は、中身と文脈こそ違え、江戸時代の儒者にとっての「中華」のような理念であったと考えられる。江戸儒者の原理としての「中華」が孔子、孟子、荘子などの先秦思想家によって具現されたとすれば、戦後の文脈においてはカント、ヘーゲル、（特に）マルクス、ウェーバー、ニーチェ、フロイト、ハイデガー、サルトルなどによって戦後の理念が具現されたといえよう。とりわけポストモダニズム・現代思想にとっての「中華」はドイツ思想よりはフランスのレヴィ＝ストロースや、ミシェル・フーコー、ジャック・デリダ、ジル・ドゥルーズなどの名前によって具現されたということになろう。日本の知識人と文系の学生にとってこの「中華」は一九六八年パリの「五月革命」とこの時期に活躍し始めたフランスの思想家らによって端的に表された。ここで言う江戸儒者の理念としての「中華」は、もちろん現実にある中国とは関係ない。それは普遍的倫理的理念だとするならば、ポストモダン思潮における多くの日本知識人にとっての「普遍」は「西欧」にしかないものだと無意識のうちにとらえていたことを意味しているのだろう。

他方、このようなアカデミズムの傾向は理論から始まり理論に終わり、空談に止まる危険性をも有している。これについて丸山は「戦前の日本の左翼運動におけるアカデミックな性格、特に読書《ブッキッ》的《シュ》な「勉強」の要素の比重の大きさは否定すべくもない」と批判した。[28]「現代思想」の主張者が戦争責任問題をめぐり外来理論を頼りにしたのもこのような「アカデミックな性格」によるものだろう。丸山は戦後日本知識人が過度に西洋の理論を頼りにする傾向と、外国の影響を排除しようとした「国学」の主張者とを同時に批判した際に、「近代日本の知識人」を総括する言葉として、「「よそ」普遍主義と「うち」土着主義との悪循環を断ち切ることが、日本の知識人の当面するヨリ切実な課題ではないか」と忠告した。[29]日本の文脈にある「現代思想」の批判的な実践者にも丸山が言った問題がないわけではないが、同時に似た危機意識も抱えていると言える。本書はこのような丸山眞男の発した忠告を念頭に論を進めたい。

第四節　本書の構成と内容

戦後日本の政治思想史・知識人思想史及び東アジアという二つの視点において日本の戦後思想と

日本の文脈にあるポストモダン思潮との連続と断絶を論じるにあたり、本書では次のような方法論を採ることとする。

まず、日本の文脈にあるポストモダン思潮／現代思想を歴史化させるためには、できるだけ長い時間的スパンで見ないと批判的に分析することができない。そのためにはこの思潮を、明治期以来の思想史を背後に置きながら、戦後思想との関連のなかで位置づけたい。明治期から始まる日本の知的欧米化は「戦後思想」と「現代思想」とに一貫する主調音であるととらえ、この知的欧米化が背負う思想的意味と限界を本書は分析する。

次にポストモダン思潮を戦後日本と関連させながら位置づける以上、戦争責任・歴史認識の問題、つまり「戦後」という問題が必然的に重要な意味を持つようになり、戦後思想と現代思想との間の連続性と断絶性の問題がその中から生じる。この問題からは、知的欧米化とともに、東アジアの中の「日本」と、そうではない「日本」という問題がまた必然的に出てくるのである。言い換えれば、本書は方法論的に日本文脈のポストモダン思潮をできるだけ長い時間的なスパンで歴史化させるのみならず、同時にできるだけ広い空間において、すなわちグローバルな関係における東アジアの視点においてそれを歴史化させながら捉えようとする。

第一部は三章構成である。日本のポストモダン思潮を概観し、「戦後思想」との関連・断絶を念頭において思想史学術史的視点からその貢献と限界について筆者なりに提示する。

第一章はポストモダン思想が輸入され展開された四十年間の歴史を概観し、戦後日本の文脈にある近代主義とポストモダンとの間の違い（断絶）と類似点（連続性）の両方を見ながら、二項対立的に見られがちである両者の関係を再考したい。結論を先に言うならば、日本のポストモダン思潮の四十年間の歴史を徐々に歴史性へと回帰する過程または現地化の過程として見て、まさにこの点においてその意味と限界を見てみたい。日本文脈のポストモダン思潮が対面している敵は丸山眞男によって代表されるリベラルな近代主義者以外に、主には正統派マルクス主義という進歩主義者がある。この章において戦後のリベラルな近代主義者、進歩的なマルクス主義者と「現代思想」の知識人との間の複雑な関係にも触れたい。

第二章では、山口昌男（一九三一―二〇一三）を例に思想としての文化人類学がどのような戦後思想的学問的な文脈において現れたのか、そしてそれが思想史的にどのような影響を与えたかをまず取り上げたい。本章は特に思想史的にはマルクス主義との関連、歴史学をはじめとする文系諸学との関連を取り上げる。また言語論的な転回の文脈の中で文学研究がどのように歴史学、人類学の問題意識を共有しながらそれに応答したのかを主に前田愛（一九三一―八七）を例に簡略に紹介したい。この章で文化人類学者の山口昌男から具体的な議論を始めるのは、本書において文化人類学が日本文脈のポストモダン思潮において機能した役割、とりわけそれとマルクス主義批判との関係や、文化人類学の歴史学をはじめとする諸学、特に日本の歴史学との関連を特に中心に位置づけているからである。

第三章は、戦後政治思想史・知識人思想史・学問史の視点から日本の文脈におけるポストモダン思潮／現代思想に対する、筆者なりの功罪論である。

第二部は二章構成である。第四章においては戦後日本におけるカント解読と戦後日本の平和主義伝統との関連を取り上げたい。カントとポストモダニズムとの関連は、まずはカントまたはカント的マルクス主義と、ヘーゲルまたはヘーゲル的マルクス主義との間における代替性においてである（狭い意味での「ヘーゲル的マルクス主義」はルカーチなどのヘーゲル解釈を指すが[30]、本書ではむしろ広い意味で使っており、党派的なマルクス主義を含む目的論的還元論的マルクス主義を指している[31]。周知の通り、一九八九年以前の「社会主義」と名乗る陣営及び西側の左翼政党のマルクス主義は、ほかならずヘーゲル的マルクス主義の主な部分を占めている。日本文脈のポストモダン思潮自体は、例えば、レヴィ＝ストロースのマルクス主義批判に見られるように[32]、フランスのそれと同様に、ポストマルクス主義の徴候の一つである。次に、カント研究者の牧野英二も指摘した通り、ポストモダニズムに対するカントの影響の一つは、一八世紀以後の楽天的な啓蒙主義の超歴史的な普遍主義に対して、多様で歴史的な相対性を対峙させた歴史主義の登場以降、カントが克服しようとした行き過ぎた「蓋然論」から帰結する懐疑主義的な主張、そして真と偽との区別を解消する相対主義的な見解とその帰結などはポストモダニズムの主張者に通じるものである[33]。さらには、同じく牧野英二の指摘であるが、ポストモダニズムの意義はカントを含めたモダニズムの持つ弱点をあらわにした点にある[34]。

第四章では日本におけるカント解読と戦後平和主義理念との関連という系譜を扱うこととなる。

戦後日本におけるカント的平和論の問題は、東アジアに関わる問題であると同時に、戦後思想の一環でありつつ日本のポストモダン思潮／現代思想に直結している問題となる。また、ポストモダン思潮／現代思想は九〇年代末から歴史性への回帰が見られるので歴史認識の問題とも関連する。したがって本章の内容は、本書の枠組みの必然的な結果でもある。すなわち、戦後日本の政治思想史・知識人思想史及び東アジアという二つの視点において戦後思想と日本の文脈にあるポストモダン思潮との間の関連と断絶を論じることによって方向づけられたことでもある。筆者はカントの研究者ではないが、中国思想と交響させながら自分なりの理解を示した。

カントへの回帰は例えば、日本の現代思想の旗手の一人である柄谷行人の二〇〇〇年以後の著書において典型的に見られるが、カント回帰はむしろ一九八九年以後の世界的な現象である。例えば、柄谷の著書を批評するジェフ・ヌーナンが指摘したように、むしろこの三十年（二〇〇六年の時点で）の間に、社会行為の普遍的な権利に基づく、カント的な枠組みを強調することは、ヘーゲル的な、マルクス主義的でリベラルな権利の抽象化とリベラルな民主の表面性に対する批判に取って代わっている[35]。この章においてはハンナ・アーレントのカント的政治学と対比しながら柄谷のカント的政治思想を論じたい。

第五章はロシア出身のフランスの哲学者アレクサンドル・コジェーヴ（一九〇二―一九六八）と、その影響を受けたアメリカの政治学者フランシス・フクヤマの著書『歴史の終わり』（原書、一九九二）が日本のポストモダン思潮においてどのように受け止められたのかについて、保守側の知識人と、批判的な知識人の異なる反応を近代日本の文脈に位置づけながら分析するものである。

　第六章と第七章からなる第三部は、ケーススタディとして、日本の現代思想の代表者であり、国際的にも著名な思想家柄谷行人の仕事を中心に論じる。第六章において柄谷の全仕事を概観しながら、特に二〇〇〇年以後の柄谷の仕事を歴史性への回帰として評価しながら筆者なりに総括をするものである（柄谷の仕事に関してより体系的な論考としてはすでに小林敏明の優れた柄谷行人論がある[36]）。日本における柄谷の著作の受けとられ方は柄谷の『探究Ⅰ』（一九八五〜一九八六）までの著作、せいぜい『探究Ⅱ』（一九八五〜一九八八）までが歓迎され、それ以後の、より完成度が高く、オリジナリティの高い著作に対してはかえって関心が薄く、彼の歴史性・政治性への回帰の理論的探求は冷淡に視られているという印象を強く受けている。そのような受け止め方とは逆に、本書は、前期の『日本近代文学の起源』（一九八〇）以外に、むしろ柄谷の後期の二冊の主著『トランスクリティーク――カントとマルクス』（二〇〇一）と『世界史の構造』（二〇一〇）を高く評価するものである。前期重視の読み方は柄谷を通してフランスを中心とする西欧・米国の「現代思想」を理解するためであるにほかならない。柄谷の歴史性への回帰における人類学的示唆が彼のカント的マルクス（またはその逆）にとって持つ意味について論じたい。

　第七章においては、後期の柄谷の二冊の主著『トランスクリティーク――カントとマルクス』と『世界史の構造』（とりわけ後者）を中心に柄谷の思想を東アジアの視点から論じたい。特に柄谷のテーゼである「資本―ネーション―ステート」の三位一体を発展させながら「言語―資本―ネーション―ステート」の四位一体であるべきことを筆者なりに提起し補足したい。

〈注〉

（1）例えば、東京大学教養学部に「現代思想コース」がある。この場合の「現代思想」はポストモダン思想のみを指しているわけではないが、その命名自体はポストモダン思潮の産物である。そしてこれが広い意味で使われている「現代思想」だとするならば、狭い意味での「現代思想」はほかならず七〇年代の末以来日本の文脈で流通されるフランス、ドイツを主とする欧米「現代思想」（特にフランス現代思想）である。ただ石田英敬の定義の通り、「現代思想」は一つのディシプリンでは決してない。「現代思想」なるものの問いは、近代的な知の条件を批判的に問いながら、哲学、言語学、情報技術、歴史学などの様々な人間科学を横断する「総合」を行なう「知」であると石田は定義した。石田はその特徴として「ポスト・グーテンベルク Post-Gutenberg」（ポスト活字）、「ポスト・モダン」、「ポスト・ナショナル」、「ポスト・ヒューマン」（人間とテクノロジーの境界が揺らぐこと）と四つを挙げた（同『現代思想の教科書』ちくま学芸文庫、二〇一三、一八～三二頁）。他方、やや枠組みと文脈が異なるが、「総合」の意志に関して言えば、学術史的に見るとむしろ東アジアの学術史に通底するものがある。例えば、中国の戦国時代から漢代初めまでの緒家の説を総合した学派が「雑家」である（『広辞苑』）。雑家にして専門家になった次の段階は、「通人の学」である。「通人の学」とは、今日の言い方でいえば、文学、史学、哲学、言語学などを区分してとらえず、相互に貫通できるものだという意味と、場合によっては、現実と結び付く実践へと貫通できるような問題意識のある学問、を指している。前近代中国の学問領域は、「義理」、考証学、「詞章」と通常分けられている。宋以後、「義理」が中心に据えられ、三者が切断されていたところを、それに対して清初の顧炎武（一六一三―一六八二）や黄宗羲（一六一〇―一六九五）が批判の矢先を向けたのだった。江戸時代の荻生徂徠（一六六六―一七二八）も似たような批判者である。後の清の章学誠（一七三八―一八〇一）は、「義理は空言であってはならず、博学を以ってこれを実にし、文章を以ってこれを伝達して、三者を一に総合する」と述べ、「総合」の必要性を説いた（『文史通義』「原道　下」）。さらに章学誠は、「学ぶことは博にしては約せることを貴び、博まざるにして約せるものはない」とも述べている（同前「博約　中」）。章学誠は、「博」は「約」（具体的な問題意識・専門領域に集約＝総合すること）の前提だと強調している。「総合」、即ち「博にして約す」ことのできる学問は、上でいう「通人の学」である。ここから見れば、前近代における「合」の意志は、その後の「近代」の到来によってまたさらなる「分」へと向かってしまったといえる（拙稿「総合への意志」、『教養学部報』〈東京大学〉、五〇四号、二〇〇七年一月十日）。

（2）『戦後思想の再審判――丸山眞男から柄谷行人まで』という近年の著書において「戦後思想」を立憲主義、民主主義、平和主義などの基本原理に支えられたものと見ながら、「現代思想」の代表的思想家である柄谷行人を「戦後思想」と見たのは、「戦後思想」を継承する意思にあろう（大井赤亥・大園誠・神子島健・和田悠編、法律出版社、二〇〇五）。ただし本書は四十年間近くに亙る日本の文脈にあるポストモダン思潮を不問にしたが、それ自体はそのタイトルの通り、「戦後思想」の行方を「再審判」したと理解できよう。

（3）成田龍一『近現代日本史との対話　戦中・戦後―現在編』集英社新書、二〇一九、四二五～四二六頁。

（4）同前、四二七頁。

（5）丸山眞男「近代日本の知識人」『後衛の位置から――『現代政治の思想と行動』追補』未來社、一九八二、一一四頁。

（6）近代日本、特に戦後日本におけるウエーバーの影響について研究も多いが、ちなみに山之内靖『日本社会学とウェーバー体験』（筑摩書房、一九九九）や、ウォルフガング・シュヴェントカー『マックス・ウェーバーの日本――受容史の研究一九〇五・一九九五』（野口正弘ほか訳、みすず書房、二〇一三）、などが挙げられよう。

（7）ドイツ観念論が移植される前の英仏哲学・思想の紹介については三枝博音『日本における哲学的観念論の発達史』、世界書院、一九四七（昭和二十二）、一〇五～一二〇頁。
（8）明治二十年代のドイツ思想の受容については、大塚三七雄『明治維新と独逸思想』長崎出版、一九七七、一四五～一八七頁。
（9）丸山眞男『日本政治思想史研究』東京大学出版会、一九五二年初版。
（10）丸山眞男前掲『後衛の位置から』、一一二頁。
（11）シュヴェントカー前掲『マックス・ウェーバーの日本』、一八〇頁。
（12）折原浩『危機における人間と学問——マージナル・マンの理論とウエーバー像の変貌』未來社、一九六九。森政稔『戦後「社会科学」の思想』NHKブックス、二〇二〇、一九九頁。森著書は「社会科学」の視点から捉えた優れた戦後思想論である。
（13）戦後アメリカの歴史的文脈におけるパーソンズのウェーバー解釈と近代化理論との関連については、Nils Gilman, *Mandarins of Future: Modernization Theory in Cold War America* (Baltimore & London: The John Hopkins University Press, 2003), pp.74-96, 76-82.
（14）カール・レーヴィット『ウェーバーとマルクス』柴田治三郎、脇圭平、安藤英治訳、未來社、一九六六、一五五頁（弘文堂版、「訳者後記」）。
（15）森政稔『戦後「社会科学」の思想』、一九九頁。
（16）マルクス主義の莫大な影響力とヘーゲル主義の広範な受け止めとの因果関係は、世界的な現象である。この点についてロバート・ピピンは、ヘーゲル弁護の文脈にある著書において、「そもそもマルクス主義の世界的な影響のおかげで〈ヘーゲル主義〉は一番よく歴史の〈弁証法〉的な理論と連結させられた」と指摘した通りである。ピピンによれば、ヘーゲルの莫大な影響力は、「二十世紀のイギリス型のヘーゲル主義（偶々〈客観的唯心主義〉と呼ばれたが）に対する周知の攻撃による影響と衝撃」、及び「ドイツの全体の知的伝統（取り分け浪漫派の伝統）に対する懐疑」の「おかげ」でもある。ピピンの著作はポストモダンとドイツ浪漫派の連続性を主張し、ヘーゲルの問題意識が「近代」＝「自由」への理想であると解釈した。Robert B. Pippin: *Idealism As Modernism: Hegelian Variations*, Cambridge University Press, 1997, p.17. 本書はヘーゲルをハーバーマスなどの社会理論との連続性でとらえようとも試みた。

（17）丸山眞男「『現代日本の政治思想と行動』英語版（1963年）への著書序文」、丸山眞男前掲『後衛の位置から』、一五頁。

（18）アンドリュー・E・バーシェイ（Andrew E. Barshay）『近代日本の社会科学――丸山眞男と宇野弘蔵の射程』山田鋭夫訳、NTT出版、二〇〇七、二一五頁。

（19）以上の整理は、山之内靖「日本資本主義論争」、に基づいた。廣松渉、子安宣邦、三島憲一、宮本久雄、佐々木力、野家啓一、末木文美士編『岩波・哲学・思想事典』、一一二九〜一一三〇頁、に拠った。

（20）以上の柄谷行人の丸山眞男解読は、柄谷行人「丸山眞男の永久革命」、『世界』二〇一九年七月号、岩波書店、七三〜八一頁。

（21）丸山眞男『現代政治的思想與行動』陳力衛訳、北京：商務印書館、二〇一八年。

（22）内藤湖南の『支那論』（大正三年三月刊行）「概括的唐宋時代観」（『歴史と地理』九・五、大正十一年五月）など、宮崎市定については宮崎市定『東洋的近世』中公文庫、一九九九、などが挙げられる。

（23）島田虔次『中国における近代思惟の挫折』Ⅰ・Ⅱ巻、井上進注、平凡社東洋文庫、二〇〇三（初版一九四九年、筑摩書房）。

（24）「アジアからの諸視覚：「交錯」と「対話」」、岸本美緒『風俗と時間観』研文出版、二〇一二、一七六頁。

（25）J・A・フォーゲル『ポリティックスとシノロジー』井上浩正訳、平凡社、一九八九、二一頁。

（26）丸山眞男「近代日本の知識人」、前掲『後衛の位置から』、一二八頁。

（27）同前、八四頁。

(28) 同前、一〇七頁。
(29) 同前、一三〇頁。
(30) 狭い意味での「ヘーゲル的マルクス主義」について、例えば、ロックモアはマルクスとマルクス主義のヘーゲルに対する態度の違いを強調しながら、アルチュセールを「反ヘーゲル的マルクス主義」と見て、それとは対照的に、ルカーチ（György Lukács、一八八五－一九七一）とコルシュ（Karl Korsch、一八八六－一九六一）のような哲学を「ヘーゲル的マルクス主義」（Hegelian Marxism）と呼んだ。Tom Rockmore, *In Kant's Wake: Philosophy in the Twentieth Century* (Malden, MA ; Oxford : Blackwell Pub., 2006), p.59. 日本語訳：トム・ロックモア『カントの航跡のなかで――二十世紀の哲学』牧野英二監訳・齋藤元紀［ほか］訳、法政大学出版局、二〇〇八。
(31) 本書においてほとんどの場合「マルクス主義」という言葉は、正統派マルクス主義のことを指している。また広い意味での「ヘーゲル主義」はこれを含んでいる。ウォーラーステインが「党派的なマルクス主義」（Marxism of the parties）という用語で指しているのは還元主義、直線的な目的論のことで、フランクフルト・マルクス主義やマルクス本人と区別した。Immanuel Wallerstein, *Unthinking Social Science: The Limits of Nineteenth-Century Paradigms* (Cambridge: Polity Press, 1991), p.177（日本語訳：『脱＝社会科学――一九世紀パラダイムの限界』本多健吉、高橋章監訳、藤原書店、一九九三）。ただし、戦後日本の文脈においては正統派マルクス主義は必ずしも党派的なもののみではないと理解すべきであろう。
(32) モーリス・ブロックの指摘によれば、レヴィ＝ストロースはサルトルを批判することを通してマルクス主義を批判したが、彼とマルクス主義との関係は複雑でありマルクス主義から着想を得ているところも多い（モーリス・ブロック『マルクスと人類学』山内昶／山内彰訳、法政大学出版局、一九九六、一九八～一九九頁）。また、「一九六〇年代までレヴィ＝ストロースの仕事は、フランス人類学からマルクス主義を締め出す効果を主としてもたらした。すべての文化の等価性を彼が力説したことが、マルクス主義のような歴史の一般理論の生産の試みに不利だったように思われる。実際レヴィ＝ストロースはいくつかの箇所で、予言的な歴史の一般理論の可能性を否定していた」、と指摘した。(ブロック『マルクスと人類学』、一九九頁)。

(33) 牧野英二『カントを読む――ポストモダニズム以後の批判哲学』岩波書店、二〇一四、三〇〇~三〇一頁。

(34) 同前、三〇二頁。

(35) Jeff Noonan, "Review of Karatani Kojin, *Transcritique: On Kant and Marx,*" *Historical Materialism*, Vol. 14:2 (203-214) (Journal published by Brill NV, Leiden, 2006). Noonan はマルクス主義の立場から、柄谷における、カント的にマルクスを読む枠組みを批判した。

(36) 小林敏明『柄谷行人論――「他者」のゆくえ』筑摩書房、二〇一五。

第一部　日本のポストモダン思潮

第一章　日本のポストモダンにとって「歴史性」とは何か？[1]
——戦後スタディーズの一環として

序論で成田龍一の言葉を引きながらふれた通り、日本では欧米現代思想の強い影響のもとで一九八〇年代に「戦後思想」から「現代思想」への移行があった。

具体的な議論に入る前に日本の文脈にある「ポストモダニズム」とその略称である「ポストモダン」という用語をおおまかに定義したい[2]。一般的にいうと、日本におけるポストモダン思潮とは、ニーチェ（一八四四－一九〇〇）や、ハイデガー（一八八九－一九七六）とフロイト（一八五六－一九三九）の思想の影響下にある現代思想を指している。具体的には、フランスの構造主義や、記号学、ポスト構造主義、ラカン（一九〇一－一九八一）以後の新しい精神分析理論、また（場合によっては）解釈学も含まれている。つまり、西欧にその源を持ちながら、西洋の形而上学伝統を自己批判する流れの新しい思想的理論的傾向を曖昧に指す言葉である。また一九九〇年代以後、英米発祥の「カルチュラル・スタディーズ」と「ポストコロニアリズム」も日本においては「ポストモダン」の一部として見なされていることが多い。

「ポストモダン」には「モダン」（近代）の後（ポスト）に来る時代という時間的な意味においての解釈もあり、結果的には「近代」を合理化する解釈にもなったため、この傾向に対しては、西欧においてと同じようにマルクス主義的傾向を含む一部の批判的知識人から猛烈な批判があった。

まず、日本において「ポストモダン」という通俗化された呼び名や、八〇年代以降においての「現代思想」という用語は、現代フランス思想を始めとする、西洋形而上学伝統を人文科学の全分野において批判する理論（日本語に翻訳され流通したもの）を主に指している。また、構造主義と密接な関係にあるロシア・フォルマリズム言語理論と文学理論（日本語に翻訳され流通したもの）もこの用語のなかに一括されている。ただし、「現代思想」という用語を使う場合、英米圏の分析哲学は日本語でいう「ポストモダン」なり「現代思想」には含まれていない[3]。

九〇年代以後になると、日本の「ポストモダン」という用語は、上に限定した「ポストモダン」より拡張され、しばしばポスト構造主義や記号学などの最新理論の政治的な応用としての、英語圏におけるカルチュラル・スタディーズやポストコロニアリズム理論、フェミニズムをも含むようになった。さらに、「ポストモダン」という用語は、特に上のような理論的視点を駆使しながら「日本」の「近代」「歴史」などを批判的に洗い直す人文科学の言説をも指した。この場合の「ポストモダン」という用語は、「批判的なポストモダン」「批判的な現代思想」という用語とも置き換えることが可能である。いずれにせよ、「現代思想」（「欧米現代思想」）の類の日本語自体は、英語の

「ポストモダン」（ポストモダニズム）の曖昧さと同じように、その内容はかなり曖昧なものであると言わざるを得ない。

日本の「ポストモダン」はサルトル（一九〇五－一九八〇）以後のフランスの現代思想（構造主義や記号学など）を特権化することから出発した。これは一九五〇年代の日本において特権化されたサルトルの実存主義思想に取って代わったものである。一九五〇年代の日本におけるサルトル思想の特権化を「初回のサルトル・ブーム」とでも呼ぶとすれば、一九五九年から一九六〇年にかけての安保闘争の直後に見られたサルトル思想の特権化は戦後日本における二回目のサルトル・ブームだったといえよう。構造主義などのフランス現代思想の特権化は、七〇年代の末ごろから、それまでの基調だったサルトルの特権化（五〇年代におけるサルトル・ブーム及び、六〇年代安保直後における丸山眞男的な「市民革命」的政治思想ブームに平行するサルトル・ブーム再来）と、中国革命（とは言っても毛沢東主義的革命と言ったほうが適切であるが）の特権化に取って代わったが、これも日本における丸山眞男スタイルの政治思想以外は、フランスと日本の知識人が共有していた点である。ただ日本における毛沢東革命の特権化には、フランスのそれと比べて、日本知識人の反米民族主義的情緒と、中国への侵略戦争に対する知識人の反省に由来する代償的な心情があったということを指摘しておくべきであろう。

サルトル・ブームの日本左翼における「冷却」がフランスと日本における「六八年」の敗北と関わっているとすれば、中国革命の特権化から日本の知識人がだんだんと目をそらしたのも同じ文脈にある。後者に関しては中国の「文化大革命」神話または毛沢東神話の解体や、後の中国の「社会主義兄弟」のベトナム侵攻、それに中米外交の接近、中国の改革開放政策の実行などと不可分な関係があろう（中国における改革開放は「中国特色の社会主義」という名のもとにおいて実行されたが、それは経済的には「中国特色の資本主義」でもあることは明らかである）。「革命中国」のイメージと言説化は、「中国脅威論」、「ナショナリズムの中国」などの「中国」イメージと言説化に置き換えられた（この変化で思い出されるのは戦後日本の歴史学が中国と朝鮮・韓国の民族主義を肯定してきたことであるが、時代の変化と言うしかない[4]。中国に対する日本知識人の認識の変化は、むしろ中国を含む国際的情勢の変化と関わっている。その中で今日の中国の台頭という事実が重要であろう）。

第一節　日本文脈のポストモダン思潮の小史と思想的な文脈
――七〇年代から八〇年代まで

日本文脈におけるポストモダン思潮の歴史に対する概観――第一期としての七〇年代後半

日本の文脈におけるポストモダン思潮において若き論客として活躍した浅田彰（一九五七―）は、一九九一年の時点で、日本的ポストモダンの「歴史」についてこう回顧している。「ポスト構造主義と通底する思考」は「本来の可能性」としてすでに「六〇年代後半にあった」が、「七〇年代を通じて持続的に追究され、八〇年代を迎えて一般化する[5]」。ここで彼が日本の六〇年代後半をポストモダンの準備期としながら、「六〇年代後半」という日本の歴史的文脈で日本のポストモダン思潮をとらえようとしていることは重要である。

ここで筆者は九〇年代の末ごろに中国から来た一傍観者の立場から、その四十年間近くの歴史を概略的にまとめながら日本文脈のポストモダン思潮の固有の思想的理論的文脈を明らかにし、その意味と、限界を含んだその課題を筆者なりに簡略に提起したい。

日本のポストモダンを大雑把に分けるとすれば、次の三期に分けて見ることができる。

第一期は、七〇年代後半から八〇年代の初めまでの時期である。この時期は、哲学・フランス文学の研究者（と一部のドイツ思想研究者）らによるフランス現代思想をはじめとする欧米現代思想が紹介・導入された時期である。雑誌で言えば、『エピステーメー』（朝日出版社、一九七五〜七九／一九八四〜八六）、『ユリイカ』・『現代思想』（青土社）、『現代詩手帖』（思潮社）、『群像』（講談社）、『海』（中央公論社、一九六九〜八四）、『思想』（岩波書店）などがその重要な場となった。のちに日本のポストモダン思潮に莫大な影響力を持った柄谷行人（一九四一―）の『マルクスその可能性の中心』も一九七八年に出版された。そして、一九八三年に浅田彰（一九五七―）の『構造と力』、中沢新一（一九五〇―）の『チベットのモーツァルト』などが登場した。浅田の『構造と力』はフランス現代思想の解説書として大きなインパクトを当時の人々に与えた。浅田彰と中沢新一の上記の書物が一気にベストセラーとなった現象をマスメディア（『朝日新聞』）が「ニューアカデミズム」と呼んだことがきっかけで、二氏を日本文脈での「現代思想」の「牽引役」と見ている論者もいるくらいである。[6] 浅田・中沢両氏は必ずしも非政治的な論者ではないが[7]、しかしある一定の時期において二氏が「牽引」した「ポストモダン」が政治的歴史的だったとは言いがたい。また両者の影響も長く続くことはなかった。それに、現在にいたる四十年近くの日本の歴史的政治的発展、とりわけ六〇年代の歴史的政治的な文脈との関連性、そして九〇年代以降の文脈において「現代思想」の受容・現地化された実践を見るならば、浅田・中沢二氏を「牽引役」とする見方は非歴史的＝非政治的なものであると言わざるを得ない。

また、ポストモダンの風潮が登場したばかりの頃には、ファッション的な軽さや、「第二次近代の超克」のような保守的傾向すら見られた。これに対する批判は、現代思想の主唱者の内部からもその外部からも現われた。[8]

日本文脈におけるポストモダン思潮の歴史に対する概観――第二期としての八〇年代

第二期は、主に八〇年代のポストモダン思潮である。ここで「八〇年代」というのはあくまでも便宜的な区切りであり、実際この時期において活躍した論者たちは、七〇年代の末からすでに活躍しはじめていた。この時期の活躍者として、例えば、今村仁司（一九四二―二〇〇七）や森本和夫（一九二七―二〇一二）、多木浩二（一九二八―二〇一一）、渡邊守章（一九三三―）、宇波彰（一九三三―二〇二二）などの果たした役割も忘れることは出来まい。そして、記号学の分野における丸山圭三郎（一九三三―九三）や哲学領域における井筒俊彦（一九一四―九三）の存在も無視できないであろう。ちなみに井筒の仕事の出発点において、井筒の師匠で、昭和詩学の第一人者である西脇順三郎（一八九四―一九八二）の影響も見逃せない。

第二期の活躍者として挙げられるのは、哲学の世界における中村雄二郎（一九二五―二〇一七）、市川浩（一九三一―二〇〇二）、文学の世界においては、創作と理論を兼ねて思考、実践してきた、ノーベル文学賞の受賞者である大江健三郎（一九三五―二〇二三）や、文学理論のパラダイム変化に亡くなる直前まで関わった前田愛（一九三一―八七）、また人類学では山口昌男（一九三一―二〇一三）などであろう。彼らは、いずれも一九八四年十二月に発足した雑誌『へるめす』（岩波書店）の同人でもある。『へるめす』は、創刊に寄せる言葉にある通り、「知の地殻変動」を強く意識した雑誌である。[9] ただし、日本文脈におけるポストモダン思潮の歴史を見るならば、『へるめす』誌自体が果たした役割はかならずしも大きいわけでもない。これらの学者はみな岩波書店周辺の、いわゆる「現代思想」に関わった学者たちであり、むしろ『思想』誌（岩波書店）を中心に活躍してきた学界の著名な学者と文学者である。

上で言及した知識人たちの共通した認識に、正統派マルクス主義とヘーゲル主義への批判意識がある。現代思想にとってヘーゲルは両義的な存在である。ヘーゲルの最大の批判者であるマルクスこそヘーゲルの最大の発展者であり同時に事実上の最大の宣伝者でもある。このため、常にヘーゲルとマルクスは顕在的にも潜在的にもセットになって意識されている。のちのマルクス主義者はマルクスの思想を科学的生産力中心の理論の強調を通して目的論的「科学的発展法則」、ないし党派的な教条主義に高めた。現代思想追随者にとっては、一方に「精神」を中心とするヘーゲル的観念論的色彩の西洋中心主義と進歩主義があるとすれば、他方にマルクス主義的な「生産力」を中心とする「科学法則」的進歩主義もある。このような背景があるため、現代思想の追随者がヘーゲル主義とマルクス主義をセットにして俎上に乗せるのもごく自然のことであろう。日本の現代思想追随者によるヘーゲル批判には、レーニン主義的マルクス主義そのものに対する距離感とともに、近代主義的楽観に対する懐疑が含まれている。

他方、現代思想の追随者にとって様々な「マルクス」があるように、様々な「ヘーゲル」もある。例えば、アレクサンドル・コジェーヴの解読した「ヘーゲル」があるように。この「ヘーゲル」こそ現代思想の源の一つとなっている。コジェーヴの解釈したヘーゲルは、社会を他人の承認を欲求する欲望の体系と、そのための競争体系として捉えている。「欲求」「承認」は常に他者に関わる「欲求」「承認」であるので、ヘーゲルこそ、他者に関わる最大の哲学を構築したとさえ見える。この「ヘーゲル」は脱構築の哲学が嫌悪する西洋形而上学的枠組みにある二項対立的枠組みを独特な形で解体させようと試みるものとさえ見える。それは主客という古典的な二項対立の問題を「論理学」に統一しようとしながら、人間と自然、自己と他者、市民と国家などを、労働、他者に承認してもらおうとする欲望において総合しようとする最大の「他者」論または「承認」論の思想家とさえ見える。[10] いずれにせよ、ヘーゲルは現代思想の克服すべき敵であると同時に、現代思想を刺激する源の一つでもある。[11] 日本の「ポスト六八年」、取り分け「ポスト八九年」の知識人が違和感を抱いているのは、もちろん前者、すなわち形而上学的な「ヘーゲル」である。

このような文脈で中村雄二郎らは、マルクス主義の哲学者廣松渉（一九三三―二〇〇三）のマルクス主義解読の問題意識を共有していた。廣松渉はマルクスの「社会的関係性」に対する読みを「共同主観性の四肢構造」へとシフトすることによって二元論的な枠組みから抜け出そうとしたのである。柄谷行人（一九四一―）の思考も廣松渉のそれに呼応するものであった。彼によれば、「社会主義は根本的に倫理的なもので、歴史的法則（自然過程）の必然などではない」のであり、それは「レーニン主義」に反するものである。[12]この「レーニン主義」の「マルクス」は左翼政党のそれだと理解できるが、これは柄谷が若いころ関わっていた「共産主義者同盟」（ブント）の日本共産党批判の立場と関わっている。柄谷についてはまた詳しく後述したい。

いずれにせよ、八〇年代における「現代思想」に関わった知識人の仕事における、やや間接的な政治性は、ある意味では、在来のマルクス主義、特にオーソドックスな左翼党のマルクス主義解釈に不満を感じ、それを修正しようとしたものであるとはいえよう。

八〇年代における日本のポストモダン思潮の特徴の一つは、欧米の六〇年代、特に六八年の新左翼運動に対する、それぞれの専門領域からの返答を試みている点である。上で挙げた名前から窺えるように、この時期の活躍者は、高度な専門性を持っているが、直接日本の「歴史」「現実」に直面するような歴史性＝政治性はまだ希薄である。また、これらの人たちには「近代」とその理論的枠組みを批判する意図があることも共通の特徴である。

彼らにあえて間接的な政治性を見出そうとするならば、七〇年代の末から始まった中村雄二郎、前田愛、市川浩などの、修辞問題への重視や、身体性問題、「情念」（中村）への注目は、ある意味では、日本知識人思想史における主体性の問題系に対する探求と関わっているといえよう（山口昌男の人類学における「中心」と「周縁」との関係に対する注目も彼における天皇制と主体性との近代における関係に対する思考と関わっているが後述したい）。これらの知識人の問題意識の背景には、ヘーゲルやマルクス主義に感じられる不満のみならず、ソシュール主義などに見られる二元論的な世界に感じられる不満があった。

しかし、他方、いわゆる「第二期」のアカデミズムのポストモダン思潮の「近代」の理論的な枠組に対する批判の主流は、日本の「近代」理論的な枠組というよりも、むしろ抽象的なレベルにおける、西洋「近代」への批判でもあった。この時代の主流は基本的に日本のアカデミズム的な西洋学研究と、せいぜいその付随的な現実への応用であり、結局、教養主義的な色彩が強いという印象をぬぐえない。この意味において八〇年代の現代思想の受容・研究・批評は、依然として前近代の思想的学問的系統との切断、及び日本近代の歴史・社会との関連の薄い「近代」「批判」である。したがって彼らの言う「近代」とはほかならず日本が影響を受けたヨーロッパの「近代」であり、そうである以上、それは限界のある「近代」「批判」と言わざるをえない。柄谷行人の『日本近代文学の起源』（一九八〇）や前田愛の『近代読者の成立』（一九七三）と『都市空間のなかの文学』（一九八二）、野口武彦の『小説の日本語』（一九八〇）、亀井秀雄の『感性の変革』（一九八三）などのような例外もあるが彼らは量的にもこの時期の「ポストモダン」思潮の主流ではなかったのである。この時期のポストモダン思潮に関わるアカデミズムの西洋思想研究は日本の現実とも歴史とも関連があまり見えない（中村雄二郎において京都学派との対話はあったが例外的である）。また、前近代との関連もほとんど見えない（上で言及した柄谷や前田、野口、亀井の著書はいずれも前近代との関連・対話が根幹部にあるが）。この意味において前近代日本の学術伝統と西洋との融合を見せた明治の学問体系とも異質なものである。

いずれにせよ、現場的な文脈化・歴史的文脈化に至っていない以上、ポストモダン思潮は西洋中心主義を批判する西洋中心主義から脱出できない。悪くすると、七〇年代と八〇年代初頭にあるような、空洞的な——すなわち現実とそのコインの裏返しとしての歴史性が不在であるというような理論的チャートとして流通するほかなくなるだろう。この歴史性の不在について作家の大江健三郎は一九九〇年一月に、ポストモダン日本の、特に若い知識人たちが、ヨーロッパのポストモダンを、道義欲の相対化した時代としてとらえていたようだと指摘し、「したがって漱石のように、ヨーロッパの道義欲に対比して日本の道義欲の衰退に絶望するという辛い経験はしなくてよかった」と、ポストモダンにおける歴史性の風化に対して警告していた[13]（強調は大江）。

また、マルクス主義の側からも、例えば、トロツキー的マルクス主義者であり、科学史研究者の佐々木力（一九四七–二〇〇〇）は猛烈な批判者の一人である。佐々木力は『学問論——ポストモダンに抗して』（一九九七）という著書において、フランスのリオタールやドゥルーズ、ガタリを念頭に、「一九七〇年代以降の先進資本主義諸国において定着していった現代フランス思想を起点とする〈新保守主義的傾向〉」と見ながら、ニーチェの近代批判の程度を弱めた「新ニーチェ主義」と見た[14]。これは佐々木のドゥルーズなどの理解ともかかわっていよう。いずれにせよ、近代批判を重視する佐々木の気持ちの表れであることは間違いはない。佐々木論文は、丸山の訃報を受けた大江健三郎の「いまわが国の若い知識人たちは丸山以前にもどっていきます」という所感に同調しながら書き出された[15]（一九九六年八月十九日付『朝日新聞』朝刊）。しかし、佐々木は必ずしも彼の同時代の思想的変化の方向性を適切に予測できていたわけではない。というのは、これらの政治性・歴史性の問題は、すでに九〇年代以降のポスト構造主義などの日本の文脈における現代思想の主唱者によってある程度の変化がもたらされていたからである。

第二節　九〇年代初頭の転換――歴史への回帰としての「現代思想」の現地文脈化

第三期としての八〇年代末・九〇年代初頭の「ポストモダン思潮」

さらに、第三期としての八〇年代末・九〇年代初頭になると、以下の各氏らが台頭した。例えば、子安宣邦（『「事件」としての徂徠学』、一九八八年執筆、一九九〇年、『近代知のアルケオロジー――国家と戦争と知識人』、一九九六、『江戸思想史講義』、一九九八、など）、小森陽一（『文体としての物語』、一九八八、『構造としての語り』同年、など）、高橋哲哉（『逆光のロゴス』、一九九二、『記憶のエチカ』、一九九五、『戦後責任論』、一九九九、など)、西谷修(『戦争論』、一九九二、『夜の鼓動にふれる――戦争論講義』、一九九五、など)、酒井直樹(『死産される日本語・日本人「日本」の歴史‐地政的配置』、一九九六。『日本思想という問題――翻訳と主体』、一九九七)、鵜飼哲(『抵抗への招待』、一九九七など)、石田英敬(『記号の知／メディアの知――日常生活批判のためのレッスン』、二〇〇三)、など、である。これらの諸氏は日本の文学的歴史的政治的思想的課題に応答するかたちでポスト構造主義などの新しい理論的手法を活用、それによって「日本」「近代」「歴史」を論じる人文科学の力作が次から次へと登場した。

また、全共闘時代から学生運動に関わってきた上野千鶴子(一九四八‐)も、フロイト理論を従来のマルクス主義理論を批判的に補足する理論として見なしながら、日本の伝統左翼にあるマルクス主義的「階級」概念と近代主義的「市民」概念に組み込まれてきた「女性」という不可視化されたカテゴリーを取り上げ、不払い労働者としての「女性階級」という概念を提起し、日本近代の女性研究史・運動史における問題点を理論と歴史の両面から鋭く論じた(『家父長制と資本制――マルクス主義フェミニズムの地平』一九八六年三月〜八八年十一月『思想の科学』連載、単行本、岩波書店、一九九〇)。

上で挙げた諸氏の中でみると、一九三三年生まれの子安宣邦はこの時期に活躍する五〇年代生まれの世代と比べて上の世代であるが、活躍する時期はほぼ重なっている。限られた日本文脈におけるポストモダン思想を総括する著作においては子安への言及は普通はない。それはおそらく単に彼が江戸思想（儒学諸派＋反儒学の「国学」）の専門家であるからだろう。近代日本の思想史家でもある子安は、専門領域のこともあり、前近代の学問的思想的系統との連続性・断絶性を意識しながら、M・フーコーの理論に触発された斬新な視点で、江戸思想史から近代日本の思想史的言説を批判的に見直した。丸山眞男の江戸儒学論を批判する『「事件」としての徂徠学』が代表的である（一九九〇）。一九九〇年から現在まで子安は精力的に近代日本の思想史叙述に潜むイデオロギーの系譜を分析してきた。子安がポストモダン思想と関係がないような扱い方は、酒井直樹の指摘したように、江戸という「特殊」な「前近代」（“particularist”“premodern”）こそ「普遍的な」「近代」の生産をもたらした、という構造と関わっているかもしれない[16]。いずれにせよ、日本文脈におけるポストモダン思潮自体は九〇年代に入ると多岐に分化するようになったと言える。

また、第三期における日本の文脈の現代思想＝日本ポストモダン思潮を見るにあたって、九〇年代における、東京大学駒場キャンパスの「教養」理念の強化と大学院化による新しい学科の再編成などの改革も視野に入れるべきであろう。この改革は、「現代思想」の大学における制度化の結果ではあるが、「近代」の産物である学的制度に対する批判の色彩があることも無視できない。「総合文化」、「言語情報」、「表象」、「言語態」、「情報学環」などの学科や専攻の名称や「概念」から窺えるように、それ自体がポスト構造主義などの欧米最新理論によって影響を受けた側面が強い。この点、東大総長（一九九七－二〇〇一）になった、自らもポストモダン思潮の旗手の一人であった蓮實重彦（一九三六－）の果たした推進役的役割は無視できまい。他方、「言語態」「表象」のような漢字概念、とりわけ、「現代思想」のような漢字概念こそ、その現地化の意志を表しているものである。かくして九〇年代の後半になると、それに賛成するか否かを問わず、欧米現代思想の強い影響下にある研究方法や視点は思想、学的体制全体に波及するに至ったのである。

また、一九九〇年にはアメリカ・イギリス経由のカルチュラル・スタディーズ〈文化研究〉が登場した。米国在住の酒井直樹がその有力な牽引者でもあることを指摘しておきたい。特にイギリス出自のカルチュラル・スタディーズは鮮明な政治意識を内在させて登場し、現実的な問題に迫った。日本文脈におけるカルチュラル・スタディーズが、従来の非歴史的な「ポストモダニズム」と一線を画したことは評価すべきであろう。カルチュラル・スタディーズ理論の紹介者でもあった毛利嘉孝が指摘した通り、フーコーやデリダなどのフランス理論が、形而上学的な哲学や文学の純粋理論としてではなく、それまでの西洋中心的＝男性中心的＝ロゴス中心的な知識を批判する社会理論、つまり応用理論として用いられた結果、文化研究やポストコロニアリズム理論、フェミニズムとして発展することになったのである。[17]

そして、第三期において、七〇年代から活躍し日本のポストモダン思潮の理論家と見なされてきた柄谷行人と浅田彰が主催する雑誌『批評空間』が、九〇年代以降の日本文脈におけるポスト構造主義思想の重要な場の一つとなった〈一九九一年四月〜九四年一月〈福武書店〉、一九九四年四月〜二〇〇〇年四月〈太田出版〉、二〇〇一年十月〜二〇〇二年七月〈批評空間〉〉。『批評空間』の終刊後は、『現代思想』『思想』などが引き続き日本文脈での「現代思想」＝「ポストモダン思潮」の中心雑誌としての役割を果たしてきた[18]。『思想』における、一貫したアカデミズム的理論的色彩と謹厳さとは違って、二〇〇〇年以降の『現代思想』は徹底的に理論そのものを現地的文脈における政治的実践として現代思想を応用したといえる。

政治性への回帰は『現代思想』自身の変化でもある。七〇・八〇年代に流行した「ニューアカ（ニュー・アカデミズム）」については政治性を抜きにしたフランスの批評言語での戯れだけだったという坊間の批判がある[19]。ただし、一九七五年から一九八一年まで『現代思想』の編集長を務めた三浦雅士へのインタビューで北田暁大は、七〇年代の『現代思想』を「六〇年代の継承」と位置付けながら、七〇年代から「政治の季節が終焉を迎えたことを認めたうえで成り立っている左派的な政治姿勢と、そうした政治的姿勢に言葉を与えるものとしての記号論周辺の「現代思想」とが、絶妙なかたちで接合されています」と評価している[20]。北田の評価と、一般読者の非政治的との評価との間には、明らかな落差があるが、吟味するに値するものである。いずれにせよ、九〇年代初頭以後から二〇一〇年末までの二十年間に限れば、雑誌『現代思想』が「現代思想」の政治的実践の先端に立っていたことはほぼ異論はないであろう。

この時期の前史的存在として、一九六〇年代における批評家の吉本隆明（一九二四－二〇一二）の仕事が異色なものであり政治的にもかなり両義的である。吉本によれば、丸山眞男の西洋型の市民社会に基づく国民国家はエリート的なものであり、民俗的なものが欠けている（『丸山眞男論』、一九六三）。吉本の丸山論は、丸山眞男における理性的な「市民」に基づく理性的な近代像に潜む理性中心主義に対する予備的な批判という側面がある。他方では彼の批判は柳田國男（一八七五－一九六二）の民俗学から示唆を得ながら、「日本回帰」的な論理を六〇年代の文脈において再構築した（『共同幻想論』六六～六七年雑誌連載、六八年刊行）。

吉本の『共同幻想論』によれば、日本的な土着的民俗的な共同幻想こそ大衆が求めるものであり、それはほかならず日本という国家の本質である。丸山眞男の西欧型市民社会が近代的な市民の「共同幻想」であるならば、吉本が準備したのは柳田國男のいう「常民」に基づく「共同幻想」であると言えよう。吉本のこの論点と七〇・八〇年代のポストモダン思潮における第二次「近代の超克」の類の言説との間に繋がりがあるかどうかという問題と、戦後日本の民衆史と「柳田─吉本」の「常民」系譜との関連があるかどうかというもう一つの問題は興味深いがここでは深入りしない。仲正昌樹は、吉本の『共同幻想論』が天皇制国家の本質を宗教にあると見ながら、「上部構造」としての宗教の本質を下部構造の経済から見ないことは「マルクスそのものの逸脱」であると指摘した。[21]しかし、吉本の批評における「マルクスそのものの逸脱」は実際早くも数年前の『言語にとって美とは何か』に表れていた（一九六一年九月～六五年六月雑誌『試行』連載、後に勁草書房刊）。本書は日本のプロレタリア文学の批評を念頭に置きながら、文学を政治的道具とするようなスターリン的文学論の批判を意図していることは明らかである。

吉本隆明の批評は日本文脈における西欧マルクス主義の対応型とも見なされることがある。[22]確かに吉本の、スターリン主義批判の文脈にある「自己表出」という概念は、かなりの程度まで初期マルクスの疎外論の影響を受けており、「表出論」は吉本の理解での文学的な言語的な疎外論でもある。そして、彼におけるサルトルの影響もそこに共通するヒューマニズム的なマルクス主義への関心によると言える。同書とサルトルとの関連について絓秀実（一九四九―）は、同書はサルトルの想像力論や『存在と無』との対話がなかったら書きえないものであり、個人幻想、対幻想という吉本の独自の概念は、サルトルの対自、対他とパラレルに見なすことが可能であると指摘している。[23]たしかに吉本は上部構造の意味を重視する点において西欧マルクス主義との接点が十分にある。これがすなわち仲正が指摘していた「マルクスそのものの逸脱」でもあろう。ちなみに、吉本本人も認めた通り、むしろ時枝誠記（一九〇〇―六七）の『国語学原論』（岩波書店、一九四一）の言語過程説からの影響を無視することはできない。時枝の言語過程説は、江戸時代の国学派の代表である本居宣長（一七三〇―一八〇一）とその弟子である鈴木朖《あきら》（鈴木朗とも、一七六四―一八三七）に負うところが多い。[24]吉本の「マルクスそのものの逸脱」に間接的ながら国学の示唆もあることは興味深い事実である。

第三節　歴史への回帰を通しての政治回帰――「近代」「日本」「現実」への転換として

いずれにせよ、第三期のポストモダン思潮の最大の特徴は、抽象的な西洋輸入の理論から、「近代」「日本」へ転換することであった。このことは広い意味での「歴史」そのものへ回帰し、歴史叙述と歴史認識の倫理性を探求することを意味している。ここで「広い意味での歴史」と言うのは、次のような意味がある。まず、この「歴史」とは、ほかならず「歴史」と表裏を成している「現実」をも含む意味での「歴史」である。後述もするが、批判的な現代思想の主張者が「歴史」に注目するようになったのは、「現実」そのものへの危機意識と倫理的な責任感による、政治的な選択の結果である。

次に、広い意味での「歴史」とは、構造主義言語学とポスト構造主義などの思想的理論的洗礼を経たうえでの「歴史」の研究である。ヘイドン・ホワイトの指摘した通り、「歴史」を文学的言語学的に見れば、言語表象の問題も必然的に媒介されるものであり、「物語性」の問題も含有されている。そしてそれと同じように、修辞と不可分な関係にある「哲学」も文学・言語学と近い関係にあるものとなる(25)。日本文脈におけるこの新しい人文科学・社会科学の傾向は、近代的なナショナルな学科制度を相対化することによって、史学、文学、言語学、哲学、社会学などの人文学を新たに総合する意味と可能性を同時に有している。このことは近代によって成り立った人文諸学の境界線を曖昧化させ、再度総合するという機運を必然的にもたらすものとなる。

そうすると、この新しい意味での「歴史」の学における「文学」研究は、文学を歴史の二次的な材料として見るような近代的な「文学」ではなくなり、それ自体が言語という媒質性において心理学的かつ記号学的に接近可能な、新しい歴史研究または「文学」研究となり、または同時に両者ともなる。例えば、この点について歴史研究者の成田龍一はその『歴史学のスタイル』（二〇〇一）と

『「歴史」はいかに語られるか』（二〇〇一）において大江健三郎の『万延元年のフットボール』や司馬遼太郎の『坂の上の雲』などを直接の「歴史研究」の対象として扱った。歴史研究者のこうした傾向は、九〇年代以来、日本近代文学研究者の小森陽一（一九五三－）などによって代表されたように、記号学や精神分析の理論を駆使し、「日本」「近代」「文学」を再定義しながら「文学」と「歴史」との関係、「文学」における「歴史」を明らかにしようとする仕事に通じるものである。小森は文学研究者ではあるが自分が歴史の研究者でもあるという自己認識があるだろうと思われる。

さらに、国民国家論的歴史叙述をある程度相対化することは、そもそも一部の戦後日本歴史学の一つの傾向でもある。例えば、戦後歴史学の傾向を日本のポストモダン思潮の固有文脈として見るならば、これは網野善彦（一九二八－二〇〇四）の社会史とその叙述における歴史の主体としての「常民」や、色川大吉と安丸良夫によって代表される民衆史とその叙述における歴史の主体としての「民衆」において明らかである。戦後歴史学がナショナルなものを相対化することは、侵略戦争をした国家に対する知識人の反省という独自な文脈があろう。戦後歴史学のこの歴史的な脈絡は、偶然にもナショナルな歴史叙述を批判する、批判的なポストモダンの人たちの傾向と接合したといえる。

もちろんポストモダン思潮以前の戦後史学は理論的には必ずしも「国家」という理念そのものを疑っていたとは思われない。むしろ国家とは悪ではあるが市民社会に基づく民主主義によって改善可能なものであるという考えが一般的であろう。そのためか、国家そのものを疑問視することはあまりない。とはいえ、日本の文脈にあるポストモダン思潮において国家に対する楽観さがない点においても、国民国家論を相対化し、ないし批判する点において偶然にも通じているのである。

また、思想史研究の分野ももはや近代的な「哲学」と近代的な「歴史学」の折衷としてのそれではない。それは思想史を言説の体系として言語論的にとらえ、思想史を、国家権力および人間が主体化されるさまざまな様式のなかに働いている権力＝政治の欲望の系譜として位置付け直したものである。また石田英敬の批判的な記号学（『記号の知／メディアの知――批判的な日常生活のレッスン』）や高橋哲哉の歴史叙述と認識の倫理性の追究（『歴史／修正主義』）などの仕事も、言うまでもなくこの広い意味での「歴史学」に属すものであろう。九〇年代の批判的な「現代思想」の主張者は、実践におけるマルクス主義的なイデオロギー批判という伝統的な課題を「歴史」への回帰を通して新しい方法論で継承することができたと言える。これはポストモダン思潮のニヒリズムに対する応答ということができよう。

仲正昌樹の整理した通り、一九九三、九四年までのポストモダンは「非政治的」であったが、その後から「左旋回」したということがいえる。[26] 他方、仲正は柄谷行人と浅田彰によるNAM（New Association Movement の略称）の「マニフェスト」を元々ノンポリであった「ポストモダン」を政治的なものへとシフトしたものであり、仲正は彼らの行動を単なるユートピアとして見た[27]（それ自体は間違いではない）。同時に、仲正は日本のポストモダンの「左旋回」をグローバルなコンテクストにおける欧米のポストモダンの思潮として見た。仲正は日本で起こった批判的なポストモダン思潮の歴史性への回帰を日本独自の社会的政治的文脈における発展としての側面を見ずに、それを単なる「影響」――流行りという語気すら仄めかしながら――に還元してしまっただけである（少なくとも仲正の本が出版された時点ではそうだったと言える）。この点について毛利嘉孝も「九〇年代」を転換期としてとらえ、日本のポストモダン思潮においてカルチュラル・スタディーズなどの英語圏経由の理論が日本において果たしてきた役割に注目してきた（毛利前掲書）。この「左旋回」なり政治化なりという傾向は、まさに「歴史」への回帰を通して実現できたものである。

筆者からみれば、この点こそ、日本の歴史的社会的文脈におけるポストモダン思潮の結晶として特筆すべきだと指摘しておきたい。これは第二期の一部（例えば柄谷行人）と第三期で活躍している人々が、日本の文脈にあるポストモダンの流行現象における非歴史性を批判してきた結果でもある。八〇年代後半から九〇年代にかけてのこれらの変化は、ポスト構造主義思想などの欧米現代思想における政治の可能性の再発見の結果でもあるが、日本独自の歴史的思想的文脈こそ重要であろう。八〇年代後半からフェミニズムやカルチュラル・スタディーズ、ポストコロニアル批評が多く紹介され、実践されたのもこのような政治的文脈にあるものである。

第四節　「六八年」と非政治化への応答としての九〇年代「現代思想」
――戦後政治思想史的視点において

「六八年」への返答としての九〇年代の日本ポストモダン思潮の固有の文脈

ここで日本のポストモダン思潮と「六八年」との関連に戻るならば、絓秀実が「六八年」の焦点を一九七〇年七月七日の「華青闘（華僑青年闘争委員会）告発」に置いたことは注目すべきであろう。この事件の概要は次の通りである。

在日中国人の団体である「華青闘」は日本の新左翼運動の一環として一九六九年三月に結成されたが、その後在日のマイノリティを差別する入管管理法案などに対して運動を展開した。「華青闘」は伝統左翼の一国主義を批判し、インターナショナリズムを標榜する日本の新左翼団体との共闘を積極的に期待していたが、新左翼は「民族」の問題を単に付随的な問題として位置付け等閑視した。それにくわえ新左翼の最大の党派である「中核」を含む新左翼の一部の活動家が差別発言をしたことをきっかけに、一九七〇年七月七日の盧溝橋事件を記念する集会において、「華青闘」はインターナショナリズムを標榜する新左翼のナショナリズムを含めて全面的な告発を行なった。絓によれば、この告発を受けて「中核」は民族問題やフェミニズムなどのマイノリティ問題に取り組むようになった(28)。絓秀実は次のように言う。

六八年の日本の新左翼は「戦後民主主義」という規範に対して、繰り返し批判を行ってきた。簡単に言えば、戦後民主主義が実は一国平和主義に過ぎないという批判である。（中略）日本の新左翼は「戦後民主主義」に対して、「世界革命」という、もう一つの「大きな物語」を対置したのである。華青闘告発は、日本の新左翼のこの「大きな物語」が実はナルシシズム＝ナショナリズムに過ぎないことを告発した。これを契機に、民族の問題やフェミニズム、エコロジー等々の「小さな物語」が、それが収斂していくはずの「世界革命」という中心を欠いたまま主題化していく。（中略）、ここに日本の真の「六八年」が開始された。（絓前掲書一〇頁）

絓秀実が強調した「華青闘告発事件」と九〇年代のフェミニズム、ナショナリズム批判などとの間に、どの程度までの関連性があるのかは筆者には判断しにくいが、少なくとも日本の固有の文脈におけるフェミニズムや、ナショナリズム批判を考える場合、日本のアジア侵略に対する批判と反省や、リブ運動、戦後歴史学の在り方が固有の文脈として無視できないので、絓秀実の研究をベースに紹介した。ただし、日本のポストモダン思潮の固有の文脈を考えるに当っては、九十年代初頭以後の、日本ポストモダン思潮の、日本の近代と現実の文脈における歴史化・政治化こそ、「真の「六八年」」の開始である、という絓の解釈は示唆的であろう。西洋の単なる輸入とは異なった、日本のポストモダンの歴史的文脈を考える上で重要な出来事であろう。

実際、日本的文脈のポストモダン思潮の第三期を見れば、六〇年代にある「伝統左翼政党」対

「新左翼」という対立軸は九〇年初頭以降すでに曖昧化されていた。七〇年代の旧左翼の弱体化は新左翼の台頭に伴ったものであり、この事実は新左翼が伝統左翼の存在にある程度依存してきたことをも物語っていよう。これらのことは、ベルリンの壁の解体によって象徴されたソ連型社会主義陣営の解体や、中国の文化大革命神話の解体および中国の改革開放政策による資本主義化、さらに一九八九年の中国における学生運動弾圧などの一連の出来事と深く関わっている。上の出来事は、社会主義に対する資本主義の勝利という二者択一的なわかりやすい解釈をもたらしたが、これは「社会主義」という名の「自称」の歴史と「社会主義」の理念とを混同したものにほかならない。この二者択一の解釈は依然として冷戦構造の枠組み内にあるものである。

「ポスト」することのできない歴史——日本のポストモダン思潮の歴史性への回帰に貢献した保守政治

とはいえ、皮肉なことだが、批判的な現代思想の主張者の登場は、むしろ日本政治の保守化という文脈に負うところが多い。例えば、九〇年代における旧日本軍元朝鮮人従軍慰安婦問題の告発に対するネガティブキャンペーンや、自民党の「大東亜戦争」を総括するための「歴史・検討委員会」設置（一九九三年八月）、侵略戦争否認の『大東亜戦争の総括』（一九九五年八月、展転社）の出版、一九九六年十二月に保守側が戦争美化のために発足させた「新しい歴史教科書をつくる会」があり、一九九八年には小林よしのりの漫画『戦争論』（幻冬舎）に触発された草の根ナショナリズム運動が展開する。これらの歴史認識に関わる諸問題こそ[29]、日本の九〇年代以降に展開した、ポスト構造主義などの現代思想受容の政治化の重要な現実的文脈として特筆すべき点であろう。というのは、被害者側による歴史抹消に対する抗議は、加害者側の危機意識による歴史歪曲の緊迫感を促したからである。日本のポストモダン思潮の「歴史」における定着はこのような現実の出来事と不可分な関係にあったのである。

いずれにせよ、ポストモダン理論はここにおいて遅ればせながら「歴史認識」の理論として転換しえたのである。これが可能だったのは、貴重な命を代価にした、侵略戦争に対する倫理的な反省の蓄積が、程度こそ違え、リベラルな近代主義者を含む戦後の知識人をはじめ、日本の新旧左翼にはあった、という事実と不可分である。六〇年代の新左翼は、旧左翼の近代主義を批判する点においてポストモダン哲学の先駆的な存在であるといっていい(30)。

新左翼もポストモダン知識人も歴史の理性を疑う点において旧左翼と一線を画すだろう。ただし、歴史認識の倫理性を求めようとする意志においては、戦後の旧・新左翼も、九〇年代以後の批判的なポストモダンの主張者も一致するものである。この点こそ、平和憲法の「九条」を守る運動などにおいて、一部の戦後の新旧左翼と一部の批判的なポストモダン知識人が協力できる所以であろう。二〇〇四年から盛んになった「九条の会」という市民運動は、階級をキーワードとする戦後の旧左翼政党主導の運動や、学生・若者を主体とする六〇年代の新左翼運動、組合を主導とする労働運動などの垣根を乗り越えながら、左翼の主体だけでなく一部の中間層をもある程度まで内包するような形で展開したのである。ポストモダン思潮を通過した後のこの種の市民運動は、その根本をある程度まで歴史認識に根ざしていると理解すべきであろう。
大嶽秀夫の指摘によれば、フランスにおいて過去のナチスの占領やヴィシー政権などの全体主義の経験がポストモダン哲学の形成に影響を与えていないのは、過去の歴史の清算が日独に比べてはるかに遅れているからである（大嶽秀夫前掲書、四頁）。歴史の清算の点における日本とドイツの大きな違いはともかくして、上の大嶽の指摘にある過去の歴史の清算については加害国でないフランスにとってはごく自然なものであろう。九〇年代の日本においてポストモダン思想を歴史と歴史認識の理論として転換させることができたことは、まさに九〇年代の日本的文脈におけるポストモダン思潮の重要な特徴でもあろう。この転換が実現できたのは、一部のポストモダンの左翼知識人が加害国としての「日本」に対する、丸山眞男によって代表されるような戦後リベラルの近代主義者の問題意識を批判的にではあれ、新しい理論的な枠組みにおいて継承できたからだと理解できるのである。

〈注〉

（1）かつて著者は本章と同じテーマで "Japanese Postmodern Philosophy's Turn to Historicity," *Journal of Japanese Philosophy* (Initial Issue), 2013, pp.111-136. を書いているが、本章は本書のために新たに日本語で書いたものである。

（2）東浩紀は「ポストモダン」（postmodernity と postmodern）を、「七〇年代以降の文化的世界を漠然と指す言葉」であるのに対して、「ポストモダニズム」とは、「ある特定の思想的立場（イズム）を指す言葉であり、はるかに対象が狭い」と定義した。そして「日本でポストモダニズムは、流行思想としては「ニューアカデミズム」と呼ばれることが多い」と定義した。東浩紀『動物化するポストモダン――オタクから見た日本社会』、講談社現代新書、二〇〇一、二六頁。東の「ポストモダン」と「ポストモダニズム」は比較的限定的なものであるが、本書においては、この二つの用語を特に分けずに見る。

（3）三浦雅士「現代思想の時代」（聞き手＝北田暁大）（岩崎稔ほか編著『戦後日本スタディーズ③　80・90年代』紀伊國屋書店、二〇〇八、三一七頁）。

（4）三ツ井崇によれば、戦後日本における朝鮮史研究は市民運動との連携でやってきたのでアカデミズムとの距離があって権威性が欠けている。合評『歴史評論』〝3・1〟運動特集（二〇一九年三月）における三ツ井の巻頭論文を合評する際に三ツ井崇の発言による。第六回「戦後史学史・文学史研究会」二〇一九年八月八日、東京大学駒場キャンパスにて。

（5）「昭和批評の諸問題：1965-1989」、前掲柄谷行人編『近代日本の批評Ⅱ』、における浅田彰の発言、一五七頁。

（6）例えば、佐々木敦『ニッポンの思想』講談社現代新書、二〇〇九、一〇六頁。

（7）これは後年における中沢新一の「憲法九条」に対する態度からも、浅田のフランシス・フクヤマの「終わりの言説」に対する批判からも窺える。太田光・中沢新一『憲法九条を世界遺産に』（集英社新書、二〇〇六）、太田光・中沢新一『憲法九条の「損」と「得」』（扶桑社、二〇二〇）、浅田彰他『〈歴史の終わり〉と世紀末の世界』（小学館、一九九四）。

（8）日本の思想を考察する際、八〇年代の特定時期の日本的ポストモダンを新たな「近代の超克」と位置付けながら批判する論文として、H・D・ハルートゥニアン（Harry D. Harootunian）の「ポストモダンの暗示」（テツオ・ナジタ、前田愛、神島二郎編『戦後日本の精神史――その再検討』（岩波書店、一九八八）所収）、同「可視の言説／不可視のイデオロギー」（『現代思想』一九八七年十二月臨時増刊号「日本のポストモダン」）、竹内芳郎「新たな〈近代の超克〉論のための予備的考察」（『こころの科学』誌、日本評論社、一九八六年五月号）などが挙げられる。佐々木力『学問論——ポストモダンに抗して』（一～三七頁）をも参照。なお、「近代の超克」の問題については子安宣邦『近代の超克とは何か』（青土社、二〇〇八）を参照されたい。

（9）この点については中村雄二郎の「『へるめす』の十年」を参照。中村雄二郎『哲学の五十年』（青土社、一九九九）所収。この雑誌、特に中村雄二郎の仕事を背後で支えている大塚信一の『哲学者・中村雄二郎の仕事』（トランスビュー、二〇〇八）を参照されたい。

（10）程度こそ違え、「承認」論政治を展開させた新しいヘーゲル論の成果として、例えば、Judith P. Butler, *Subjects of Desire: Hegelian Reflections in Twentieth-Century France* (New York: Columbia University Press, 1987) や、Robert R. Williams, *Recognition: Fichte and Hegel on the Other* (Albany, N.Y. : State University of New York Press, 1992) などがある。近年の論集としては、Christian Krijnen eds., *Recognition: German Idealism as an Ongoing Challenge* (Leiden : BRILL, 2013) などが挙げられる。

（11）この点について滝口清栄、会澤清編『ヘーゲル　現代思想の起点』社会評論社、二〇〇八。本書は特にヘーゲル『精神現象学』の現代の欧米における受容と日本のその研究史を扱ったものである。

（12）柄谷行人『倫理21』平凡社、二〇〇七、一二七頁。

（13）大江健三郎「ポストモダンの前、われわれはモダンだったのか？」『人生の習慣《ハビット》』岩波書店、一九九二、一一〇頁。

（14）「批判的思考の衰退——学問論の二十年」、佐々木力『学問論——ポストモダンに抗して』東京大学出版会、一九七七、一七頁、二四頁。

（15）佐々木力「福沢諭吉の学問思想——丸山眞男を超えて」、前掲書、一九五頁。

（16）Naoki Sakai, "Modernity and its critique" in Masao and H. D. Harootynian eds., *Postmodernism and Japan*, 93-95. このエッセイは、Naoki Sakai, *Translation & Subjectivity: on Japanese Cultural Nationalism* (Minneapolis: the University of Minnesota Press, 1999) に再録

(17) 毛利嘉孝『ストリートの思想——転換期としての1990年代』NHKブックス、二〇〇九、一一四頁。
(18) 雑誌『現代思想』と日本文脈での「現代思想」の展開との関係については、前掲三浦雅士「現代思想の時代」(聞き手＝北田暁大)(岩崎稔等編著『戦後日本スタディーズ③ 80・90年代』)を参照されたい。
(19) 前掲三浦雅士「現代思想の時代」(聞き手＝北田暁大)、二九八頁。
(20) 同前。
(21) 仲正昌樹『日本の現代思想——ポストモダンとは何だったのか』日本放送出版協会、二〇〇六、六六頁。
(22) 例えば、「昭和批評の諸問題」、前掲柄谷行人編『近代日本の批評 Ⅱ』(講談社文芸文庫、二〇〇〇)において三浦雅士のこのような指摘がある、五二頁。
(23) 絓秀実『吉本隆明の時代』作品社、二〇〇八、七頁。
(24) 本居宣長と鈴木朗の時枝に対する影響・示唆については、時枝本人が著書で言及した通りである。時枝誠記『国語学原論』岩波書店、一九四一(昭和十六)＝一九六七(昭和四十二)、二三一～二三三、二三八頁。吉本と時枝との関係については、吉本隆明『言語にとって美とは何か』(『吉本隆明全著作集 6 文学論Ⅲ』)勁草書房、昭和五十一、六〇〇頁。
(25) ヘイドン・ホワイトはニーチェやフーコーなどの議論に示唆されながら少なくとも次の二書においてこの問題について議論した。『歴史の喩法——ホワイト主要論文集成』(上村忠男編訳、作品社、二〇一七)、『メタヒストリー——一九世紀ヨーロッパにおける歴史的想像力』(岩崎稔監訳・解説、作品社、二〇一七)、(特に前書)。
(26) 仲正昌樹『ポスト・モダンの左旋回』情況出版、二〇〇二、二〇九頁。ただ仲正昌樹はポストモダンの「左旋回」とポストモダンとの間は矛盾していると論じている。
(27) 仲正昌樹同前、一九七～二四八頁。これについて仲正は別の著書においても言及した。仲正昌樹『集中講義！日本の現代思想——ポストモダンとは何だったのか』日本放送出版協会、二〇〇六、二二六～二三二頁。毛利嘉孝も一九九〇年代の日本をポストモダン思潮の転換期として見た。これはその著書のタイトル『ストリートの思想——転換期としての1990年代』から見える。

(28) 絓秀実『1968年』ちくま新書、二〇〇六、一一頁、二七七頁。なお、ブントのフェミニズムの欠如については大嶽秀夫『新左翼の遺産——ニューレフトからポストモダンへ』東京大学出版会、二〇〇七、一五三頁。

(29) これらの出来事と保守政治との関係については、小森陽一「「冷戦構造」と「五五年体制」崩壊後の日本社会」(前掲岩崎稔ほか編著『戦後日本スタディーズ③』)を参照。なお、小林よしのり(一九五三—)の漫画によって代表されたサブカルチャーが草の根のナショナリズム運動において果たした役割については北田暁大・小森陽一・成田龍一「ガイドマップ80・90年代」(対談)における北田の議論を参照されたい(同前三四頁)。

(30) 前掲大嶽秀夫『新左翼の遺産』、二四頁。

第二章　「熱い歴史」vs.「冷たい構造」
――現代思想と歴史の行方

第一節　「熱い歴史」からの逃走？
――日本の「現代思想」における文化人類学の位置と山口昌男

七〇年代の末ごろ以来、日本においては実に四十年近くものあいだ欧米現代思想が一世を風靡してきた。そのブームは世界のほかの地域では見られない現象であろう。出版業界の一定部分がこの新しい流行によって支えられているという現象は世界では日本のみではないか。この奇妙な現象に九〇年代末に留学のため中国から来日した筆者は衝撃を受けた。この新しい動向は哲学に対する文学（言語）からの攻撃であるとも言われていたが、文学（言語）による歴史学への攻撃とも見られている。後者に関しては構造主義人類学のように、無意識への関心による意識への攻撃、冷たい構造の熱い歴史への攻撃とでも言える。日本でのこれらの新しい思想の流行は何を意味しているのか、日本におけるその政治的思想的文脈はなんなのか、などの問題を念頭に、その功罪を論じてみよう。

ここでは、文化人類学者の山口昌男（一九三一－二〇一三）を手掛かりに話を進めたい。

山口昌男の、歴史学から人類学への転向は、歴史研究者である安丸良夫も指摘した通り、マルクス主義的歴史学の方法では天皇制とそれを支える日本人の精神構造を明らかにすることができないという失望に由来した。ポストモダンは「マルクス訣別」的雰囲気を共有している意味において、「ポストマルクス主義」でもあることは重要であろう（別の意味においてよく「ポスト68年」という表現も取られているがこれらは関連しあっている）。

戦後日本思想史的に見るならば、正統派マルクス主義に対するこのような懐疑と距離は、程度とイデオロギー的意図こそ違え、皮肉なことに、保守派の文芸批評家の小林秀雄（一九〇二－一九八三）においても、リベラルな左側の知識人の丸山眞男などにおいても見られる。安丸良夫も指摘した通り、堅苦しい「土台－上部構造論」に対する違和感こそ、マルクスの影響を受けて来た戦後世代の多くの知識人が共有してきたものであり、丸山眞男がまさにそうであるように、「土台にあたる領域では一応講座派マルクス主義の成果を受けながら、そうした土台とはいったん区別された「思想構造乃至心理的基盤」、「思惟様式」に独自の分析次元を設定する」ものである。[1] 正統マルクス主義との距離感と丸山のようなスタンスは、それぞれの枠組みこそ違えども、一部の知識人にも共通するものである。この点については山口昌男にも全く当てはめることができる。[2]

文化人類学の六〇年代日本における登場は、日本の文化人類学が影響を受けているヨーロッパのそれと同じように、マルクス主義に対する批判の文脈にある。正統派マルクス主義では「文化」は経済という土台の受動的な産物としての上部構造の一環として位置付けられてきた。文化人類学はマルクス主義と複雑な関係にある。この問題についてはモーリス・ブロック『マルクス主義と人類学』が詳しい。(3) あえて簡潔にその趣旨を言うならば、例えば、前資本主義または非資本主義的「未開経済」、「未開社会」に対する解釈の違いである。人類学はそもそもマルクスが非資本主義経済と比較して資本主義の構造を解明するうえでその出発点にあった。文化人類学や経済人類学の人々が、古典経済学由来の経済中心、市場中心的社会構造を批判するうえで，「未開社会」は重要な参照点を提供したのである。マルクスも古典経済学を批判するために人類学を参照したのであり、マルクス以後の人類学も、マルクスとは道が異なるが一に帰するものである。

他方、文化人類学は、文化を重視する点においてマルクス主義と正反対の思考様式である。文化人類学は文化を、社会構造や社会の中における人間の行為を理解する最も根本的次元と見ている。フランクフルト学派のマルクス主義が正統的なマルクス主義に対する批判として知られているのは、フロイト心理学などの理論をマルクス再解釈に生かしながら、上部構造の文化の能動性を強調したからである。文化の役割の強調という点では人類学もフランクフルト学派のマルクス主義批判に通じてはいるが、実際似て非なるものである。というのは、まず人類学における「文化」の定義がフランクフルト学派のそれと異なるからである。例えば、レヴィ＝ストロースの名著『親族の基本構造』はまさに「自然と文化」という最初の章のタイトルから窺えるように、自然と文化との二分に

「文化」なるものが位置付けられている。人類学における「文化」、すなわち、宗教や、制度的な規範や、象徴的なシステムこそが、経済を決定することとなる。人類学の世界においては文化と経済がそもそも一体化しているのである。

文化人類学における「文化」の位置づけと似ているのは宗教社会学における「宗教」の位置づけ方であるが、異なるのは、宗教社会学は宗教を、個人と個人、行為と行為の間に整序された関係の形成、及び、社会秩序が呈する統一的な全体性と諸個人・諸行為との関係を含む現実的・可能的社会秩序などを理解する最も中心的問題として見ている点である。レヴィ＝ストロースが指摘した通り、そもそも社会学の創始者のエミール・デュルケム（一八五八―一九一七）とマルセル・モース（一八七二―一九五〇）の著述では、社会学と人類学は区別されていないようである。[4] 宗教社会学における「文化」は「宗教」という視点における「文化」か、ないしはほとんどその同義語となるにほかならない。「宗教」はほとんど「文化」そのものの全体に当たると言っても過言ではなかろう。このように視野があまりにも拡大されると、経済的要素が弱体化される可能性がある。しかし、実際はそうではない。経済と宗教との関係は宗教社会学においても捨象されていないか、分割できないものとなる。例えば、デュルケムは、その『宗教生活の原初形態』（一九一二）において経済的価値という観念も宗教的な起源を有することを指摘している。彼は「ほとんどすべての主要な社会的制度は宗教から生まれた」という同書の結論部における言葉に対する注釈として、「経済的価値は、一種の力能、効力であり、しかも、われわれは、力能の観念が宗教的起源であることを知っている。

富はマナを交付できる。したがって、富はこれをもっている。ここから、経済的価値の観念と宗教的価値のそれとの間には、関連がないはずはない」と述べている通りである。[5] またウェーバーはその『プロテスタンティズムの倫理と資本主義の精神』（一九二〇）における「ウェーバー・テーゼ」で知られているように、資本主義精神の起源を宗教（プロテスタンティズム）に求めようとしているし、「世界宗教と経済」の関係にも注目した。したがって宗教社会学は政治的経済的視野を有しているのである。

他方、前述した通り、文化人類学における「文化」も全く経済を排除したわけではない。マルクス主義の正統な解釈によれば、経済的下部構造が上部構造を決定するため、上部構造は受け身的なものと見なされている。ところが文化人類学は全く逆の例証を提起した。すなわち経済と文化との関係は二分できないものであり、ないし経済はなんと文化の産物である、という逆からの解釈となる。繰り返すが、文化人類学は「文化」こそ経済、社会を形成していると見ているからである。例えば、マルセル・モースは自らの『贈与論』の主題について、北米にある二つの「未開社会」、「アルカイックな社会」と呼ばれるような社会での契約に関わる法的な体系と、それらの間にある経済的な給付システムに注目した。[6] 贈与と返礼の義務または制度を、モースは「全体的な」社会的現象として見ている。またそれは宗教的、法的、倫理的な制度であると同時に、政治的、家族的、経済的制度でもある、と見た。[7] 経済人類学のカール・ポランニー（一八八六―一九六四）の『大転換』（一九四四）での言い方を借りれば、経済は「文化」に埋め込まれている（embeded）のである。

かくして、日本におけるウェーバーと同様に、日本における文化人類学も、正統派マルクス主義とある種の異質性を有しているので、日本におけるポストマルクス主義／ポストモダンとの関係を考えるうえでは重要な意味を持つようになる。そのなかで一九六〇年代の半ばから活躍してきた山口昌男は、七〇年代末から流行する、日本文脈にあるポストモダンを考える上では無視できない人物となる。いわばその先史的な存在である。

山口昌男は、レヴィ＝ストロースの「構造」と「歴史」との関係についての観点を借りながら、アナール学派の歴史家の一人であるジャック・ル・ゴフ（一九一四―二〇一四）の歴史学を「表層の事件史から深層の歴史への関心を強めてゆく」と見て、精神史、編年史を機軸とする歴史主義の「表層的歴史学」に代わる「深層的歴史学」に注目する。(8) 山口はル・ゴフの「物質文化の重視」について「歴史主義を支配していたエートスといった精神史基軸から、記号論中心への関心への移行の表明と見られる。つまり、物とそれが置かれる空間、そして時間的環境が人間を全体的に捉える最も確実な手懸りを与える」と見た。(9) 山口の日本の歴史学に対する不満は彼が日本中世史研究者から転身した人類学者であるという事実とも関わっている。(10) 構造主義人類学に対する日本知識人の七〇年代・八〇年代における流行の文脈・雰囲気のなかで思考してきた点を無視できない。

山口昌男の問題意識の一つは、マルクス主義を含む近代主義的な枠組みと違う枠組みにおいて知識人の再定義を試みようとしたことである。文化人類学者の彼にとって天皇制の問題は、文化の問題でもある。知識人の再定義の問題も同じような視点からなされている。安丸良夫によれば、山口の歴史学から人類学への転向は、マルクス主義的歴史学の方法では天皇制とそれを支える日本人の精神構造を明らかにすることができないという失望に由来した[11]。ポストモダンが「ポストマルクス主義」的雰囲気の一現象でもあることは重要である。その良質な部分は反マルクス主義ではあるが、反マルクスではない。むしろマルクスにあるイデオロギー批判の課題を新しい理論的な枠組みで継続させることでもある。

山口はその一九六六年の論文「文化の中の知識人――人類学的考察」において、「知識人」の原型を、モーゼに見られるような「文化（を与えた）英雄」culture hero に求め、知識の最初の担い手である司祭集団は「文化英雄」であると考えた。山口は次のように述べている。

ズナニエツキは「知識人」の原型を、モーゼに見られるような、後代に、その特定の知的達成によって指導者的思考家として知られる「文化（を与えた）英雄」Culture hero に求めている。彼はまた、知識の最初の担い手である司祭集団は、この集団に伝えられる世界を支える原理は、その集団の霊的な祖先であり、半神にして純粋な神話的形象である「文化英雄」によって人間世界にもたらされたと考えた、と述べている。（中略）

人類学者たち（中略）の描く「文化英雄」の像は次のごときものである。（中略）(1)ヘルメス神の矛盾した性格――一貫性がなく常に二つの側面のどちらかにかたよっている。(2)ギリシャ宇宙界の他のどの神よりも信用され、人々に恩恵を施す存在と考えられる。(3)だが同時に、彼は相当ないたずら者（トリックスター）であり、神々の間の道化的存在で、生と死の力及び天上界及び地下界の神々と密接に結びついている。（P. Suzuki, *The Religious System and Culture of Nias*, 1969, pp.12-14）(4)両性的性格を帯びている。[12]

ここで山口は「聖職者的、呪術師的、「道化」的としたものは、知識の「依りしろ」のごときもの」すなわち「一つの社会にはそのような文化的性格に規定された知識の「依りしろ」としての「知識人」のイメージが存在する」という意味において、彼はそれを「文化の中の知識人」と呼んだわけである。[13]

山口の人類学的視点における「知識人」の再定義は新鮮である。中国から来た筆者には、それと似たような「文化英雄」としての「知識人」を中国思想史において色々と連想させられる。たとえば、神農（農業と医学の創始者）、蒼頡（漢字の発明者）、呂尚（太公望として知られる周・武王の軍師）など、半ば伝説的な人物たち。また、漢代の司馬遷（一四五－?）もその一人である。司馬遷はその「報任少卿書」において、宮刑という屈辱な処罰（去勢される酷刑）を受けながらも、「亦以て天人の際を究め、古今の変に通じ、一家の言を成んと欲す」と、『史記』を著す強い意志を記した。また、宋の儒者張載（張横渠、一〇二〇－一〇七七）が「天地の為に心を立て、生民の為に道を立て、去った聖の為に絶学を継ぎ、万世の為に太平を開く」（原文：為天地立心、為生民立命、為往聖継絶学、為万世開太平）と言っている抱負にもそのような「文化英雄」が典型的に見られている。

山口に見られる、歴史学から文化人類学への転向の論理で思い出されるのはレヴィ＝ストロースの歴史学への眼差しである。レヴィ＝ストロースにおける人類学と歴史学との関係については、イギリスの人類学者エドマンド・リーチ（一九一〇－一九八九）の次の解説が明快であろう。「レヴィ＝ストロースは「歴史なき社会」、つまり自分の社会を不変であると考えているようなオーストラリア先住民やブラジルの部族を集中的に研究することによって、神話と歴史の関係に関する問題を巧みにかわしたのである。こうして、彼は、現在の時を、過去の時のそのままの持続と考え」、「フロイトのように、あらゆる人間の精神に普遍的に見られる思考形成の原理を発見しようとしている」と述べた[14]。要は「原始的思考の構造は「歴史のない社会」に属する人びとの心に宿っているのと同様に、われわれ現代人の心にも存在する」と見るレヴィ＝ストロースが[15]、そうでない歴史学を区別したというわけである。山口の歴史学への批判はレヴィ＝ストロースの歴史学への否定的見解とは内容的にも程度的にも異なるし、基本的に人類学的手法を導入するアナール学派歴史学のスタンスに共鳴するような程度のものである。しかし、彼の歴史学批判がレヴィ＝ストロースからある程度影響されたことも十分想像される。

同時に思い出されるのはアナール学派の歴史家であるブローデルのレヴィ＝ストロース批判である。ブローデルは、「彼が発見したのは、ある種知性の戯れでした。すなわち、歴史を持たない冷たい社会と、歴史を持った熱い社会を区別したのです。あたかもそれは、歴史が発展するためには熱が必要だとでも言わんばかりです。ところで、これは明らかに不正確です。冷たい社会が、歴史の代わりに「神話」を持ち、熱い社会にはもはや神話がないから、歴史の中に代替物を見つけた、とは言わないでもらいたいです」、と批判した。[16] 神話と言っているのは、レヴィ＝ストロースの神話研究を念頭に置いてのことである。また、ブローデルは「原始的な親族関係や、神話、しきたり、制度といったものは、歴史の最も緩やかな上昇局面に属している。今や物理学者らのあいだでの流行《モード》は、無重力という言葉を口にすることにある。そして構造とは、重力から、つまり歴史の加速度から逃れた一つの物体＝身体なのである。」とレヴィ＝ストロースを批判した。[17]

上のようなレヴィ＝ストロースへの批判を意識しているのか、山口昌男は、「レヴィ＝ストロースの「構造」と「歴史」についての指摘は、編年史を機軸とする歴史主義への批判であっても、それ自体が歴史研究の拒否ではないという立場である。こうした立場は、特に、歴史研究が、表層の事件史から、深層の歴史への関心を強めて行くに従ってその正しさが示されて行くはずである。」と、レヴィ＝ストロースのために弁護した。[18] 山口のレヴィ＝ストロース理解ではあるが、山口自身の、歴史と人類学を折衷させようとした試みとして理解されるべきであろう。山口が生涯近代天皇制という「熱い歴史」から目をそらそうとしなかったことは記しておくべきであろう。

第二節　文化人類学・歴史学と文学研究の横断

ここで日本文脈にある現代思想の源流の一つを人類学に置いたが、人類学の歴史学への影響については後述するとして、先に人類学の文学研究者に対する影響を前田愛の空間論を例に簡単に述べたい。前田愛の主著『都市空間のなかの文学』（筑摩書房、一九八二）は記号学からの影響はもちろん、人類学からの影響も無視できない。フランスの新しい世代のアナール学派の歴史家で、歴史人類学を代表する一人であるジャック・ル・ゴフについて山口昌男が語ったことは、ほぼそのまま前田愛のこの本に適用されるようである。

空間を論じる際にル・ゴフは都市を例にとりながら、歴史空間を「象徴空間」として捉えなおさなければならないと主張する。ここでもル・ゴフの言うのは都市空間の記号学論の建設ということになる。ロラン・バルトはレヴィ＝ストロースの「双分組織は存在するか？」Levi-Strauss "L'organization dualiste existe-elle?," *Anthropologie Structural*, Plon, Paris. という論文に論じられた集落の空間の組織に反映する宇宙論という観点から都市の記号論の方向を示した（Roland Barthes, "Sémiologie et urbanisme," *L'archetecture d'aujurd'hui*,1971.『現代思想』一九七五年十月号に訳出）。都市の象徴空間をとらえなおすのに、中心の象徴空間に仮託される建築のミクロな形での調査が必要であるとル・ゴフが述べるが、実は、中心は周縁性とのダイナミックな関わりにおいて記号としての価値を担いはじめることを私は『文化と両義性』の中で論じたことがある。[19]

山口昌男本人も都市空間と象徴空間の交錯について仕事を残しているが[20]、山口の『文化人類学の視角』（一九八六）に「都市を読む」章があり、その章の付録が前田愛との、同タイトルの対談である[21]。文学作品のなかにある都市空間はいままで文学研究者にあまり目を配られなかったようであるが、前田愛はそれを生きたものとして読み、都市空間と作中人物・出来事との間の関係を重層化させながら読み取ろうとした。前田愛は、文化的象徴的な空間としてその秩序を読み取ろうとする文化人類学と、そのような文化人類学と融合する日本の歴史学から示唆を得ているのである。

前田愛の『都市空間のなかの文学』は文学における現象学的空間、すなわち文学における主体と空間（トポロジー）との関係、または主体にとっての空間の意味、を捉える著書ではあるが、記号学や文化人類学と深い関係にある七〇年代末以後の日本の歴史学から強く示唆されながら、文学的主体と空間との力関係、空間自体の秩序を明らかにしようとする著書でもあることを忘れてはならない。

まず、歴史学との関係についていうと、前田愛は、近世日本、とくに江戸の遊廓や賭場、芝居町といった悪場所が、日本民衆史家の網野善彦が『無縁・公界・楽――日本中世の自由と平和』において明らかにした中世的な公界や無縁所の系譜につながる空間であり、「無縁」の原理の頽落した姿を示していることを明らかにした（前田、前掲書、六九‐七〇頁）。「無縁」とは、網野善彦によれば、結婚相手の男性から逃げる女性[22]や、借銭・借米の追及から逃げる人[23]、下人、所従、奴婢、科人などが駆け込むことのできる場――その「解放」を保証する「自由」と「平和」の場のことであり、それが広く存在していたということである（そのような寺院を「無縁所」と呼んだ[24]）。

次に前田愛の同書における文化人類学からの示唆である。これについてはイギリスの人類学者であるヴィクター・ターナー(一九二〇-一九八三)への前田の言及や、エドマンド・リーチへの言及から窺い知れる。前田愛に示唆を与えた網野にも文化人類学的関心に通じる側面のあることは明らかである。ヨーロッパの「アジール」(避難所)もそうであるように、「無縁」は人類共通の「原理」であると網野は見た[25]。人類を一つの全体として見ていることは文化人類学的関心に通じるものである。実際網野も「無縁」の原理はターナーの『儀礼の過程』における「リミナリティ liminality とコムニタス communitas」という問題に通じていると指摘したのである[26]。『都市空間のなかの文学』における文化人類学と歴史学からの示唆についてはさらに前田愛の次の言葉にも見られる。

山口昌男は、V・W・ターナーが『儀礼の過程』で展開したコミュニタスの理論を援用しながら、中心から疎外された周縁的部分に累積される情緒のエネルギーの意味するものについてこう言っている。「構造的劣生の立場に置かれる人間は、それだけ、中心的価値から遠ざけられるので、強烈な情緒的共同体を形成する可能性を持つ」(『文化と両義性』、二三八頁)。そうした情緒的共同体(コミュニタス)のイメージは、たとえば時代劇映画における「長屋」の場面に濃厚にただよっているというのだ[27]。

ターナーはフランスの人類学者アルノルト・ファン・ヘネップ(一八七三-一九五七)の「通過儀礼の過渡期(liminal phase)」という概念に示唆されながら、儀礼の進行を「分離、周辺部(margin, threshold またはラテン語の limen、つまり戸口）、集合すること（aggregation）という三段階構造からなっていると見たことを発展させた[28]。それは、まず日常活動の流れからの分離・切断（separation）、そして日常概念としての時間、空間から隔たった（removed）儀礼的世界へ入るために境界状態（threshold state または limen）を通過すること、さらに分離・分割をもたらす危機のある種の側面を模倣的に上演すること（memetic enactment）、である[29]。リミナリティ（境界性）の存在とは、法、因習、したきりと儀礼によって配分された、二つの位相の間の、あいまいで境界的な未決状態（betwixt and between）にあるものであり、このあいまいで未定的属性は社会的文化的過度性を儀礼化させる豊かな象徴を通して表現した[30]。そして「リミナリティは頻繁に、死亡、子宮にいること、不可視、暗黒、両性愛（bisexuality、雌雄同体）、空白の荒廃状態（the wilderness）、最後には日食・月食、になぞらえた[31]」。ターナーはリミナリティの現象を「卑しさ〈身分の低さ lowliness〉と聖なるものとの混合、同質性と仲間関係（comradeship）との混合」と見た[32]。そしてリミナリティは一方では、政治的法的経済的に構造化され、分別され、階層化されたものであるが、他方、未分化のコミュニタス（共同体、英語の community にあたる）として未分化でより平等な社会でもある[33]。ここでの前田愛のターナー概念の応用からは文化人類学と日本の歴史学と文学の境界線が攪乱されていることが垣間見られる。そうであるがゆえに前田愛の仕事は文学研究ではあるが、彼の多くの仕事は「社会史、文化批評、上級の記号学の教科書、ないし数学的証明にも似ているものである」とさえ見られている[34]。

網野善彦は自分の注目してきた中世日本の「無縁所」の原理は、ターナーの「リミナリティ」と

「コミュニタス」の問題を念頭に、「未開、文明を問わず、世界の諸民族のすべてに共通して存在し、作用しつづけてきた、と私は考えている」と述べている。[35]ここで決して網野史学は西洋の文化人類学に影響されて初めてこの問題に注目したと言っているわけではない。むしろ網野は一九五三年あたりからこのテーマを注目し始めたのである[36]（それに対してターナーの『儀礼の過程』の初出は一九六九年である）。ここに我々は近代日本の民衆史の「伝統」が西洋の文化人類学の成果と対話した瞬間が見えているというべきだと思われる。日本文学研究者の前田愛は両者を通して示唆を得たと言える。

〈注〉

（1）安丸良夫「はしがき」『〈方法〉としての思想史』校倉書房、一九九七、九頁、「戦後知の変貌」『安丸良夫集』第五巻、二〇一三、岩波書店、二五頁。

（2）このような立場は、たとえば、山口昌男の論文「マルクス主義と人類学——石田英一郎『文化人類学ノート』をめぐって」（一九六七）、に見られている。同『新編　人類学的思考』（筑摩書房、一九八四）所収。

（3）モーリス・ブロック『マルクス主義と人類学』山内昶／山内彰訳、法政大学出版局、一九九六。

（4）レヴィ＝ストロース『フランス社会学』加藤正泰訳、誠信書房、一九五九、八頁。また、一九〇八年にJ・フレーザーが世界初の「社会人類学」という講座名、及び一九六〇年のコレージュ・ド・フランスにおける「社会人類学」という名の講座の増設からも窺えるように、社会学と人類学はあまりはっきりした区別がない。レヴィ＝ストロース「人類学の課題」『今日のトーテミスム』仲沢紀雄訳、みすず書房、一九七〇、一七三〜

一七四頁。
(5) エミール・デュルケム『宗教生活の原初形態』(下巻) 古野清人訳、岩波文庫、一九七五、三二七頁、三二九頁。
(6) マルセル・モース『贈与論他二篇』森山工訳、岩波文庫、二〇一四、五九頁。
(7) 同前、五九～六〇頁。
(8) 山口昌男「歴史人類学或いは人類学的歴史学――J・ル・ゴフの「歴史学と民族学の現在」をめぐって」『思想』一九七六年十二月号)、『知の遠近法』(岩波書店、一九七九) 所収。
(9) 山口、前掲書、二八五頁。
(10) 山口の歴史学の実証主義、社会経済史的手法への不満は、例えば、前掲論文、三二四～三二五頁。
(11)「戦後知の変貌」『安丸良夫集』第五巻、岩波書店、二〇一三。
(12) 山口昌男『新編 人類学的思考』筑摩書房、一九七九、二六五～二六七頁。ズナネツキ (ズナニエツキ Florian Witold Znaniecki、一八八二～一九五八) はポーランド出身のアメリカの社会学者。
(13) 同前、二七七頁。
(14) エドマンド・リーチ『レヴィ＝ストロース』吉田禎吾訳、ちくま学芸文庫、二〇〇〇、九一～九二頁。
(15) 同前、二四頁。
(16)「結論に代えて」『ブローデル歴史集成Ⅲ　日常の歴史』(浜名優美監訳、藤原書店、二〇〇七、三一六頁。
(17)「歴史学と社会学」(一九五八)『ブローデル歴史集成 Ⅱ　歴史学の野心』(浜名優美監訳、藤原書店、二〇〇五) 所収、二四七頁。
(18) 山口昌男「歴史人類学或いは人類学的歴史学」『知の遠近法』所収、三二四頁。
(19) 山口、前掲書、三三一～三三二頁。
(20) 山口、前掲書、三三二頁。山口昌男『祝祭都市 象徴人類学的アプローチ』(岩波書店、一九八四) など。
(21) 山口昌男・前田愛「都市を読む」、山口昌男『文化人類学の視角』、岩波書店、一九八六、一六九～一八〇頁。

（22）網野善彦『［増補］無縁・公界・楽——日本中世の自由と平和』平凡社ライブラリー、一九九六（二〇二〇）、二二六～三三一頁。
（23）網野善彦、前掲書、四七頁。
（24）網野善彦、前掲書、三八頁。
（25）第二十三章「人類と「無縁」の原理」、網野善彦、前掲書、二四二～二五二頁。
（26）網野善彦、前掲書、二五一頁。
（27）前田愛『都市空間のなかの文学』ちくま学芸文庫、一九九二、二四二頁。（底本＝「都市空間のなかの文学」（筑摩書房、一九八二年十二月刊）
（28）Victor Turner, *The Ritual Process: Structure and Anti-structure* (New York: Aldine de Gruyter, 1997), p.94. 日本語訳＝ヴィクター・W・ターナー『儀礼の過程』冨倉光雄訳、ちくま学芸文庫、二〇二〇（初刊は、思索社、一九七六）。
（29）纏めは Roger D. Abrahams, "Forward to the Aldine Paper Edition" を借りた。Victor Turner, *The Ritual Process: Structure and Anti-structure*, p.ix
（30）Victor Turner, *The Ritual Process: Structure and Anti-structure*, p.95.
（31）Ibid.
（32）Ibid., p.96.
（33）Ibid.
（34）James A. Fujii, "Introduction: Refiguring the Modern: Maeda Ai and the City," in Maeda Ai, *Text and the City: Essays on Japanese Modernity* (Duke University Press, 2004),p.3.
（35）網野善彦、前掲書、二四二頁、二五一頁。
（36）「あとがき」、網野善彦、前掲書、二五二頁。

第三章　ポストモダン思潮／現代思想の功罪

第一節　日本の「現代思想」の功（一）
——主権性を国家から分離させる普遍的単独者を目指す運動として

政治的に見れば、そもそも批判的な現代思想の理論は、歴史の倫理性を求めようとする点において批判的でリベラルな近代主義者との間に接点があるが、次のような違いもあろう。

まず、批判的なポストモダン思想は、「主権性」とその元にある「主体性」を近代主義的な「国家」から分離させようとする主張に基づいている[1]。これと関連して、「現代思想」というこの思潮の最良の部分は、いままで国家が独占してきた「主権」概念を個人のレベルに返すことによって、それを「主体」のレベルにおいて再考しようとするところにある。すなわち、主権とは個人的に考えられなくてはならない（ジョン・ホフマンの「個人主権」〔individual sovereignty〕または「自己主権」〔self sovereignty〕という概念を借用した[2]）。ここでの「個人」とは均質的で原子化された個人では決してない。柄谷行人によれば、単独者は「個別 particular ― 一般 general 」における「個別」では決してない。「個別」はヘーゲル哲学においてはむしろ個の差異を止揚して「類」（例えばネーションなどの集団的単位）に上昇するものである。それに対して、単独者は差異を尊重するので、集まれば普遍そのものとなる。[3] まず、批判的なポストモダン思想は主権と主体性を近代的な「国家」から分離させること。[4] この意味において批判的なポストモダン思想は反国家権力的なアナーキズム理論であり、ジョン・ホフマンの指摘したように、（批判的な）ポストモダン理論は性格的には反権力（antiauthoritarian）と反国家（anti-statist）の考えに深く影響されたものである。[5]

これと関連して、「現代思想」と呼ばれているものの最良の部分は単独者としての個人のレベルにおいての「主権」概念への回帰を目指す運動である。この「主権」概念はいままでは国家にのみ独占されてきた。「現代思想」の主張者が考えているのは、差異に満ちた諸個人という主体のレベルにおいて「主権」概念、すなわち個人主権を再考することである。「個人」への回帰としてのこの「主権」運動は、「権力」という概念を国家権力のレベルにおいてだけでなく、女性、マイノリティなどの「非主権的」なものに対する抑圧というレベルにも拡張したのである。つまり社会に遍在する権力の重層性・複雑性を明らかにしようとしたのだった。この場合の「国家」とは、近代主義者が想定する均質な「市民社会」的「国民」に基づいている「国家」とは距離のあるものである。批判的なポストモダン運動は、本質主義的な「国家」観を相対化する意味において新しいリベラリズムの構築運動であった。[6]

ヘーゲル的マルクス主義とリベラリズムの近代主義的な「国家」に批判的なポストモダン思想の実践者のみならず、非政治的なポストモダン＝「ニューアカ」ともまた一線を画した。批判的なポストモダン思想の実践者は、理論的には自由と国家とを同一の理念の表現とするヘーゲルの観念論を俎上に置いているが、観念論的国家観はそもそも戦後の近代主義者にとって不問の問題であった。この点について、七〇年代末から八〇年代にかけての非政治的なポストモダン言説は、ヘーゲル観念論を批判したが、それは抽象的なレベルにおいての、文脈不在のヘーゲル観念論批判にほかならない。それに対して批判的な「現代思想」の主張者のヘーゲル観念論批判は、それとは決定的に異なる、近代日本の文脈におけるヘーゲル批判である。

第二節　日本の「現代思想」の功（二）
――言語論、文化人類学、新しい「歴史学」

次に、日本の文脈にある批判的なポストモダン思潮としての「現代思想」は、在来の学問の方法論を相対化することで、むしろ方法論を豊かにした。方法論的視点から見れば、九〇年代以降の「現代思想」が批判的に強調したことの一つに、「国家」や「民族」などの、近代主義者がほとんど不問にした「大きな物語」を、批判的なポストモダン論者は言語論的な構築物だとして脱構築＝解体したのである。これは近代主義者になかった言語論的視点である。特に文学と哲学研究の分野においてその貢献が著しいが、歴史学に対する影響も無視できない。歴史学を例にするならば、安丸良夫も指摘した通り、一九七〇年代半ば以降の日本における新しい歴史学の展開に大きな影響を与えた欧米の研究動向は、アナール学派、イギリス社会運動派以外に、「現代思想」に属しているフーコーの「考古学」史、文化人類学であり、そして研究の対象は、国民国家的な歴史叙述を批判する文脈において文化・表象・言説に移ったと指摘した。(7) これはまさしく言語論的視点の影響である。文学研究においても、言語論的傾向が亀井秀雄、前田愛、小森陽一などにおいて顕著に見られる。

特筆すべきは、戦後日本における歴史学が機能してきた歴史性への注目と責任感である。「歴史学研究会」（略称「歴研」）によって代表された戦後日本の歴史学の諸研究会は戦争責任という問題を異なる程度において背負ってきた。戦後日本の五〇年代・六〇年代についてはここで改めていうまでもないが、八〇年代・九〇年代に限っても、「戦後派第一世代」の歴史家のアイデンティティの元にまとめられた小谷汪之（一九四二―）の「戦後五〇年の歴史学　文献と歴史学」によれば、一九八六年から一九九〇年までの間、日本はバブル景気に浮かれていたが、一九八九年一月の昭和天皇の死去によって自粛ムードに包まれ、南京虐殺の否定や保守側からの日本史教科書への攻撃と歴史学側の反論があったこと、日本の歴史をアジアといった大きな枠組みのなかで見ることが定着したこと、女性史研究の一層の進展、があると述べている。(8)

他方、言語論的転回以降の歴史学への認識論的な批判が専門的な歴史研究者に与えた影響は、多くの場合、かなり限定的なものだという安丸良夫の見解がある。(9) ただ戦後日本の歴史研究の一傾向としては、国民国家論的な歴史叙述とは違う、社会史的な研究も大きな流れとしてある。戦後日本の歴史学は、そもそも社会史、民衆史の研究の蓄積を持っているという独自の歴史的な脈絡においてポストモダンを通過したともいえる。偶然の一致であろうが、社会史、民衆史の研究は国民国家の枠組みに対するポストモダン的批判にも通じるものである。

そして、戦後の一九五二年に石母田正（一九一二～一九八六）の『歴史と民族の発見——歴史学の課題と方法』によってスタートした「国民的歴史学」運動にもあったように[10]、「民族」や「階級」、「帝国主義」などの概念を中心とする政治的関心が背後にある戦後日本の知識人の思想的学問的な関心が、八〇年代末から次第に社会権力への関心によって支えられた学問的関心へと転換していった。

こうした流れの中で日本の文脈にある批判的なポストモダン思潮の概念装置が豊かになった。フェミニズムを日本文脈にあるポストモダン思潮に含めるかどうかは異論もあろうが、両者が密接に関わっていることは確かだと思われる。日本の文脈にあるフェミニズムを例にするならば、例えば、その代表的な人物としての上野千鶴子の仕事は上のような「転換」を実際代表しているが、「転換」の主流とは違うことを指摘しなければならない。彼女は、階級の問題とジェンダーの問題の両者を同時に視野に入れながら理論的に両者を融合させているケースもある。『家父長制と資本制——マルクス主義フェミニズムの地平』という十年もかかった力作（一九八六年三月～八八年十一月の連載）において[11]上野千鶴子は一九八九年以後の「さらばマルクス！」の雰囲気のなかで、次のように鮮明に主張した[12]。

階級支配についての理論を私たちはマルクス主義という名前で持っていたけれども、もう一方で性支配についての理論も、それを明示的にではなかったが、すでに私たちは持っていた。それがフロイト理論だった。そう理解すると、ラディカル・フェミニストがなぜあれほどフロイト理論に傾倒し、フロイト理論とマルクス主義とを統合しようとしたかがわかる。二十世紀思想の中でマルクスとフロイトは二大巨人でありつづけ、この射程を私たちはいまだに脱け出ていない。

このように上野千鶴子は戦後日本の家事労働論争の歴史を批判的に回顧しながら、「家事労働 domestic labor」という概念を中心に、市場と家族を繋げる「家事労働」から性支配の秘密を見出そうとした。「家庭」を社会的政治経済的権力の展開される場として捉えながら、女性を一つの階級と見ること（いわば性＝階級）は、[13]家父長と資本制との複雑な関係を性支配を通して見ることを意味している。オーソドックスなマルクス主義の教条主義とも、八〇年代末以来のポストモダン思潮の主流における「階級」「労働」「再生産」などのマルクス主義概念離れの主流とももちろん異なるものである。これは同時に伝統マルクス主義における経済の視点をフロイトの理論との結合などを通して批判的に継承していることをも意味しているわけである。また同書は戦後日本のマルクス主義に対する批判と日本のフェミニズムのマルクス主義との距離に対する批判の課題を同時に抱えている本でもある[14]。

最後に、日本における言語論的転回を含むポストモダン思潮が学問分野に与えたポジティブな変化が、人文科学と社会科学を総合させる機運をもたらし、近代の産物としての明治維新以後の近代的な学科的制度を再組織した点について述べる。このことは人文科学の方法論に大きな変化をもたらした。

この点を説明するのに歴史学を例にするならば、歴史学においては実証主義史学から「全体性の歴史学」または「全体を見る眼」に基づく歴史学への変化がまず挙げられる。「全体性の歴史学」または「「全体を見る眼」に基づく歴史学」という用語は、アナール学派や文化人類学、フーコーなどの歴史学の方法を積極的に日本の歴史学界に導入しようとした歴史学者の二宮宏之（一九三二―二〇〇六、東京外国語大学名誉教授）から借りたものである[15]。近代の「伝統的」な歴史学では実証主義の影響もあり、ほとんど政治史を王者としてやってきた。政治史上の人物、政府の文書をはじめとする政治的史料の研究が中心であった。二宮はこの実証主義的歴史研究を「強い個性を抑えてひたすら史料につこうとする禁欲主義」としながら、「歴史学の方法を単なる史料操作の技術に矮小化した」と実証主義的歴史学研究法を批判した[16]。たしかに研究者による史料の取捨・選択と、選択された史料の序列化が実際ある程度まで研究者の意図によって行なわれるので、実証的であるとは言いながら、実際にはある程度主観的でなければ研究はできない。またある時代の全体像を表層的に外交や最上層部の政治史のみに絞ってそれを通してある種の因果的な解釈で終わってしまいがちである。二宮が問題にしたのは、公文史料から読み取った政治人物像のみに絞った研究で歴史を織りなす人間たちの多様な生活を捉えきれるのか、などの問題である。

七〇年代末以来の日本の歴史学には、アナール学派の影響――これはポストモダン理論だとは見られていないが――及び文化人類学や、フーコーの「知の考古学」「系譜学」などの影響で大きな変化がもたらされた。日本の文脈にあるアナール学派の影響は日本の文脈にあるポストモダン思潮と関係ないと思われがちであるのと同じように、フーコーの理論も歴史学に対する影響が甚大であるにもかかわらず、残念ながら「歴史学」の理論として多くの歴史学の研究者に認識されていないようである。この点についてアナール学派を代表する一人であるブローデルは、歴史学の立場から構造主義人類学の代表たるレヴィ＝ストロースの激しい批判者でありながら、フーコーに対しては同じく歴史学の立場から好評している。ブローデルは、次のように述べている。

その最初の数ページの中で、T・ストイアノヴィッチは、一九七五年にパリで形を形成してきた歴史学の変動局面を、ありのまま詳細に描いている。それは間違いなく混乱した状況であり、うねりながら容易には航海を許してくれない海であった。歴史学に関して、最も激烈に語ったのは他でもない歴史家以外の人々、哲学者たちであった。その筆頭にあったのが、最も輝かしく、最も好感の持てるミシェル・フーコーだった。(17)

ブローデルのフーコーへの肯定は彼におけるレヴィ＝ストロースへの嫌悪が背後にあろうことが想

像される。他方、フーコーのブローデルに対する高い評価が、例えば、「歴史の書き方」（一九六七年六月）において見られている。[18] そうであるがゆえに、日本の歴史学に対するアナール学派の影響とポストモダン思潮の影響、そして文化人類学の影響を一緒に捉えなければならない。七〇年代末以来の歴史学のこの変化は、二宮宏之の、アナール学派の代表であるリュシアン・フェーヴルやマルク・ブロックの「全体史」についての言葉を借りれば、「社会をその深層において捉えることを主張し、諸要素の相互連関性を重視する」ことを求めようとすることである。[19] 従来の歴史学についでは二宮もフーコーの『知の考古学』の用語「包括的な歴史」（histoire globale）を借りて批判した通りである。[20] フーコーが「包括的な歴史」に対置させたのは「一般的歴史」としての「新たな歴史学」である。[21] フーコーによれば、一九世紀末に始まったこの「包括的歴史の探求」は、その特徴としては、「一つの社会のあらゆる差異は、唯一の形態へ、一つの世界観の組織化へ、一つの価値システムの確立へ、文明の一つの整合的なタイプへと帰着させられうると考えられたのだった。（中略）この探求は、合理性を人間のテロスとしつつ、思考の歴史の全体を、そうした合理性の保護、そうした目的論の維持、そうした基礎への常に必要とされる回帰に結びつけようとするものであった」、と述べて「包括的な歴史」を批判している。[22]

ここで二宮は歴史学における史料解読の重要性を否定しているわけでは決してない。史料解読自体の自己目的化と特権化と単一化こそが問題であると強調しただけである。そしてこの自己目的化と特権化と単一化がどのように近代と関わっているかを強調しているわけである。

他方、新しい方法論は往々にして新しいポジティブな可能性を意味すると同時に新しい限界をも生じさせてしまいがちである。それは「物が極まれば必ず反なり」（物極必反）そのものである。人文科学・社会科学のそれぞれのディシプリンにそれぞれの強みがあると同時にそれぞれが大きな限界を抱えていることは明白である。「複眼」的なアプローチで、できれば歴史の全体像を見ようとすることは同時に社会科学・人文科学を総合させることを要求することを意味するものである。総合することの必要性について、例えば、二宮は人類学と歴史学との結合の必要性を次のように述べている。「人類学が、かつてデュルケム社会学がそうであったように、人間諸科学を統轄すべき学問として、全体性を目指す歴史学のパートナーと目されているのである」と。[23]また、「（歴史学の）新たな同盟者となったのが、他ならぬ「異文化」の研究を任務とする文化人類学・民族学であり、文化の根底にある生活世界に注目する民俗学であったのは、当然の成り行きと言うべきだろう」と。[24]それはすなわち「「歴史なき民」とみなされていた地球上の広大な部分を占める無文字社会[25]」の重視である。かくして文化人類学の日本文脈にある「現代思想」に与えた影響は、同時にフランスのアナール学派歴史学の影響を合わせて見なければならない。

他方、歴史学において「複眼」的なアプローチで歴史の全体像を見ようとするとき、同時に「文学」の参入をも要求される。「文学」は、社会学のフィールドワークにあるような研究される対象の単独性・個別性と口述の文字化の特徴や、歴史学にある社会史、特にミクロヒストリーなどに通じるところが多い。特に小説、映画、演劇は歴史を細部的に表現するのにユニークな特徴を有している。この意味において新しい歴史学は新しい文学研究をも要求するので文学者は歴史学者にも魅力を感じさせることが課題となる。

ここで歴史学と高い親和関係にある文学の研究について小森陽一の仕事を例に簡単に言及したい。小森の言語論的視点は亀井秀雄と前田愛から示唆を得ている。ミハイル・バフチンの理論の影響を強く受けながら出発した小森の小説研究は、社会性・歴史性の探求という後年の小森の仕事にある種の言語思想的基盤、「歴史の詩学」とでもいえるようなものを準備した。バフチンが言う社会的なるものとは、主には複数性と闘争性、対話性の言語関係のことであると理解されがちであるが、忘れてはならないのは、彼の言語思想においてもう一つ重要な課題はコンテクストの問題であることだ。バフチンは、文学的テクストを含め、およそ言表（utterance）の決定的な特徴が作者の個性や倫理的価値観、社会的コンテクストであるとするコミュニケーション理論をつくりあげていた。[26]

このような考えは同時期のフォルマリストと対照的である。というのは、フォルマリストは、文学的テクストは文学的言語のシステムそのもののなかではたらく非個人的な力の結果であると主張していたからである。[27]また、バフチンが『マルクス主義と言語科学――言語学における社会的方法の基本問題』（桑野隆訳、未來社、一八八九）で言語学者を攻撃するとき念頭に置いているのは、多くの場合フォルマリストが依拠する、体系の無時間性を重視するソシュールである。[28]「バフチーンに言わせれば、言語は、ライプニッツ的な無時間性とデカルト的論理を有しているのではなく、つねに歴史の乱雑さと個々の運用の無規則性を有している。言語はプラトン的な秩序の夢の中にではなく、日常生活における言葉のやり取り、その乱痴気騒ぎの中に、見だされる。」とクラークとホルクイストが指摘した通りである[29]。

バフチンの影響から出発した小森の関心は、むしろ言葉とそれが置かれている文学的・歴史的な場としてのコンテクストにあるので、イデオロギー学の構築者でもあるバフチンこそ小森の関心にあると言える。したがって、「他者の言葉」や、他者とのコミュニケーションというバフチンの他者への関心こそ、後年の小森にみられる、ナショナリズムという排除の論理に対する批判に通じる部分がある。「異なる信仰体系どうしの対話」というバフチンの問題意識は、「共同体」としてのネーションの問題（ナショナリズムや歴史認識の問題など）にそのまま当てはまるからである。「歴史の詩学」から歴史性そのものへ、特に戦後日本の歴史認識を批判的にみることは、歴史認識という彼の問題関心から由来したものである。文学に歴史性を追求する姿勢は文学を二次的な材料として見るのではなくむしろ一次的な材料として見るスタンスである。この点はむしろ歴史学における「ミクロヒストリー」研究に通底するものである[30]。この意味において彼がしばしば和田春樹や成田龍一などの近現代史研究者と一緒に仕事をすることは決して偶然ではない[31]。小説の人物の深層心理に対する綿密な読解を通して歴史性を見出そうとする姿勢は、小森の文学研究に一貫するものである。彼の漱石小説読解は細部において見事な明治史研究である。

第三節　日本の「現代思想」の罪？――日本のポストモダンのジレンマと限界

日本における言語論的転回を含むポストモダン思潮・現代思想の問題や、限界、ジレンマについても筆者なりに指摘したい。

第一に、政治的に見れば、日本のポストモダン思潮に乗った人々における、伝統左翼への疑問視と批判は、必然的に既存の（古い世代の）知的基盤（例えば生産中心主義や近代主義と批判されるようになったマルクス主義）を解体させつつ、日本の旧左翼（左翼政党・近代主義的リベラリズム左翼）の政治性・批判性をもある程度弱体化させせた、というジレンマを抱えている。

一例を挙げれば、「階級」という概念は経済中心的な唯物論が批判されたことでほぼ完全に消えた。「階級」概念を前提とした「理性」に基づく唯物史観の線的進歩主義の側面を批判した意味は重要だと思うが、しかし理論的な「差異」という用語の流行に伴って経済的政治的な差異を表す「階級」という視点が弱体化された（もちろん前述した上野千鶴子のように性と階級概念とをリンクさせる例外もある）。このことは結果的には、唯物史観と関係のない政治経済的な視点そのものの弱体化をもたらした。いわば、「差異」という概念が差異そのものを抹消するのに貢献したという皮肉が潜んでいることになる。ここで言う「階級」概念はむろん自称「社会主義」においてのそれではない。後者の「階級闘争」は真の階級的差異を隠蔽し、新しい支配階級を保護する抑圧装置に過ぎないからである。

もちろん「階級」概念の弱体化はフランクフルト学派マルクス主義以来の問題である。フランクフルト学派マルクス主義は、マルクス、エンゲルス、ないしルカーチと違って、プロレタリア階級が革命的変革を推進するモーターだという考えに距離を置くようになった。[32] ポストモダニズムはさらにマルクス主義と訣別した以上、階級概念すら徹底的に廃棄したのである。

第二に日本文脈にあるポストモダンの学風はある種のテクスト観念論でもあることを指摘しておかなければならない。ステッドマン・ジョンズによれば、言語論的な転回は、マルクス主義による社会史的アプローチに見られる経済決定論を批判した点では正しかったが、言語決定論というかたちで還元論的思考が連綿として続くことになった。[33] この指摘はそのまま日本のポストモダニズムに通用する。柄谷行人が一九八四年における言語論的転回について一種の自己批判として、「言葉が、差異化が、世界をつくる、というテクスト的観念論が日常的になっていたわけです。（中略）自分がやってきた仕事（「言語・数・貨幣」）が、テクスト観念論であったことは否定できない。」と反省したことがある。[34] このような反省があるがゆえに、柄谷はテクスト観念論の自己克服で一連の注目する著書を世に送ることができたといえる。

第三に、「近代」とは過去に対してはっきりとした断絶を過剰に意識した時代とその意識であるが、日本のポストモダンは「近代」批判を主張しながら、「近代」が否定した「前近代」の学問体系に対して関心があったとは言いがたい。これと関連して、「近代」批判の行き先は如何なるものなのか、などの問題も不問にされてきた。ポストモダンの理論の流行によって「西洋」がなければ

「日本」について議論できないほど知の欧米化がさらに深化されつつある。これはもちろん戦後の歴史的な脈絡があるので後述するが、ここで簡単に言っておくならば、敗戦をきっかけに、知識人であればあるほど、戦前と比べて思想的にいっそう知の西洋化を求めるようになったことが戦後日本の一つの特徴であろう。進んだ西洋、革新的な西洋に思想的資源を求めるしかない。こうした雰囲気のなかで戦後日本の知識人はますます西洋中心になっていったといえる。

しかし、日本のポストモダンが「近代」批判を主張する以上、「近代」が否定した「前近代」の学問体系とポストモダン哲学との間の関係は如何なるものかが問われてしかるべきなのに、これらの問題は多少曖昧なまま課題として残されていると言わざるを得ない。

前近代／近代の二項対立を一例で説明すると、思想史分野の子安宣邦がフーコーなどの理論的アプローチを駆使しながら江戸以来の日本思想史の系譜学研究をしているが、往々にしてポストモダンの歴史を総括する巷間の出版物においては子安の名前すら触れられていない。筆者はこの事実に深い興味を感じた。というのは、この事実はまさに日本的文脈のポストモダンの盲点の一つを物語っている、と思うからである。彼らは「近代」の自明性を疑っているわけだが、学問的には前近代を視野に入れない。つまり、不在の前近代という枠組と、その裏返しにある西洋中心主義的な知の枠組を、近代主義者と共有しているのではないのか。言い換えれば、江戸時代の文学を含む学問を知らない、知ろうとしないことが当然のように自明化されていることである。

柄谷行人はかつてこう指摘したことがある。西欧の十九世紀はまさにその先端において西欧自身の十九世紀的エピステーメーに異議を唱え、ジャポニズムに見られるように日本を含めた非西欧的世界に新しい出口を探し求めたが、ちょうどその時期に、日本は近代言文一致によって、西欧の十九世紀に確立された「文学」概念を通して日本自らの「十九世紀」を抑圧しようとした、と。(35)筆者は柄谷の言う「日本の十九世紀」を「日本の前近代」の隠喩と理解した。西洋の十九世紀における「非西洋」を、日本の近代主義者の理解した「西洋」への同一化志向との対照にあるものとして批判したのである。この「非西欧」の志向とは、十九世紀における、モダニズムと呼ばれる芸術と文学に内在したものであるが、このモダニズム運動こそ西洋の形而上学的「再現」観を批判する点において「ポストモダン」の先駆的存在であろう。「再現」に対する批判は漢字圏の前近代の言語思想に通じるものが少なくないと筆者は思う。(36)しかしこの「前近代」という観点は、日本的ポストモダン論者の視野にはほとんど入っていないと言えよう。

酒井直樹もポストモダンの課題として、前近代／近代という、ほぼ西欧の十九世紀に確立された歴史－地政学的図式を疑う必要があることを強調した。彼は、前近代／近代という二項対立的概念を疑問視し、この二項対立的概念の役割を、国家、文化、伝統において人種の位置関係を体系的に理解するための視座として解釈したのである。彼が問おうとしたのはこの二項対立的構造が西洋／非西洋という別種の二項対立と呼応的関係にある点であり、西洋が如何に特殊（＝「前近代」）を規定する普遍の契機（＝「近代」）を代表するかを明らかにしようとしたのである。(37)この「契機」は無意識的に日本のポストモダンの流れにも還流したと言えるのではないか。酒井直樹は、「近代対前近代」という十九世紀的な構造は、学術的な言説を組織させる主な装置として機能したと見抜いた[38]。

確かに、「前近代／近代」という二項対立における「近代」主義的な発想を逆転するものとして「江戸＝ポストモダン」という言説があった。これは「西洋／東洋」という二項対立における西洋中心的なものを逆転するものとしての、反西洋的な「日本文化論」のポストモダン・ヴァージョンにすぎない。このような「日本文化論」はまた「和／漢」という別の二項対立を前提にしている。このような一連の二項対立を乗り越えながら、学問史的理論史的に前近代とポストモダン哲学との対話関係を見出すことが、ポストモダン理論の自己文脈化として重要であろう。これは近代的な産物であるナショナリズムに染まった非歴史的な学問体系の枠組みを疑うのにも不可欠なものだからである。

第四に、日本のポストモダン思潮の問題点として、哲学的なジャーゴンで戯れながら「冷たい構造」にこだわる若い知識人が量産され、「熱い歴史」に対面できなくなった、という点を指摘したい。戦後の知識人が対面した「熱い歴史」の時代も遠くなり、その結果、ポストモダン時代の日本においては一部の例外を除けば、「冷たい歴史」こそ主流になったという印象はどうしても払拭できない。

大嶽秀夫が指摘したように、日本の新左翼とポストモダン哲学の政治的関心は、社会に拡散して可視性の低い、にもかかわらず社会生活を決定的に規定している「社会権力」（管理社会、監視社会など）にシフトした。それによって、近代主義者の画一的な「近代的な市民像」を乗り越える形で、普通の人々＝マジョリティの「権力行使」による「加害」性をも批判するようになったのである。他方、日本のポストモダンにおけるこのような「社会権力」への関心の転換は、「権威主義・

全体主義国家」（天皇制ファシズム、軍国主義）という妖怪に対する戦後近代主義者の持つ強迫的関心からの「解放」という側面を持っている（大嶽前掲書、五～六頁）。これは九〇年代以来、一部の批判的な現代思想の論者が新しい政治性を発見し回復しようとすることを理解する上で重要な文脈であろう。今後如何にして、近代主義者の「大きな物語」としての「歴史理性」や「国家理性」に対する批判の成果を発展させうるのか、それと同時に、侵略戦争と全体主義的歴史に対する一部のリベラルな近代主義者の批判にある倫理性を新たな文脈と新しい理論的視点において継承しうるのか、これらの問いは依然として現在進行形の課題であろう。

五〇・六〇年代の代表的な日本知識人は、歴史、特に侵略戦争というような「熱い歴史」への関心・反省が強かったが、そのほとんどの思想的な枠組みは近代主義であった。この近代主義的な枠組みこそポストモダン知識人の糾弾するところだった。ただ、戦後世代との対比で見えてくるのは、「熱い歴史」から逃走したいという日本のポストモダン世代の願望である。この「願望」こそ、多くの若い知識人において無意識のレベルにおいてある程度共有されていたものであろう。

〈注〉

（1）John Hoffman, *Sovereignty*, (London & New York: McGraw-Hill ,1998), p.8.

（2）Ibid.

（3）柄谷行人『探究Ⅱ』講談社学術文庫、一九九四、一九九頁。

（4）ポスト・ステートの主権概念についてジョン・ホフマンから示唆された。John Hoffman, *Sovereignty*, 8.
（5）Ibid., 75.
（6）ここの議論もホフマンに示唆された。ホフマンによれば、フェミニズムや、民主主義と（批判的な）ポストモダン思想は国家主権に対する理論的な挑戦である。John Hoffman, *Sovereignty*, 6.
（7）安丸良夫「総論　表象の意味するもの」、歴史研究学会編『現代歴史学の成果と課題1980‐2000年Ⅰ　歴史学における方法論的転回』青木書店、二〇〇二、所収、二二六頁、二二八〜二三一頁。
（8）研究会「戦後派第一世代の歴史研究者は21世紀に何をなすべきか」編『われわれの歴史と歴史学』有志舎、二〇一二、三四八頁。
（9）安丸良夫「総論　表象の意味するもの」歴史研究学会編『現代歴史学の成果と課題1980‐2000年Ⅰ　歴史学における方法論的転回』所収、青木書店、二〇〇二、二三六頁。
（10）詳しくは、石母田正『歴史と民族の発見――歴史学の課題と方法』（平凡社ライブラリー、二〇〇三）。この運動における石母田の役割については同時代の著名なマルクス歴史家の藤間生太（一九一三―二〇一八）の「解説　五〇年の歳月を経て」が貴重である（同前四五三〜四七一頁）。小熊英二『〈民主〉と〈愛国〉――戦後日本のナショナリズムと公共性』新曜社、二〇〇二、第八章（三〇七〜三五三頁）。
（11）上野千鶴子『家父長制と資本制――マルクス主義フェミニズムの地平』岩波現代文庫、二〇〇九、四二一頁（「自著解題」）。
（12）上野千鶴子、前掲書、八頁。
（13）上野千鶴子、前掲書、八二〜八四頁。
（14）上野千鶴子、前掲書、四二一〜四二六頁（「自著解題」）。
（15）二宮宏之『全体を見る眼と歴史家たち』平凡社ライブラリー、一九九五。この考えは特に二宮宏之「歴史的思考の現在」（一九九三）、「社会史の課題と方法――一九七九年の歴史学界」（一九八五）などの論文に現れている。

(16)「歴史的思考の現在」、二宮宏之『全体を見る眼と歴史家たち』、二七頁、二八頁。
(17) ブローデル「『アナール』のパラダイムへの序文」『ブローデル歴史集成Ⅲ　日常の歴史』所収、井上櫻子他訳、浜名優美監訳、藤原書店、二〇〇七、三〇七頁。
(18) フーコー「歴史の書き方」(石田英敬訳)、小林康夫、石田英敬、松浦寿輝編『フーコー・コレクション3　言説・表象』所収、ちくま学芸文庫、二〇〇六、三〇七頁。
(19) 二宮宏之「全体を見る眼と歴史家たち」(一九七六)、『全体を見る眼と歴史家たち』、一四頁。
(20) 同前、一五頁。
(21) フーコーの「包括的歴史」への言及はミシェル・フーコー『知の考古学』河出書房新社、慎改康之訳、二〇一二、二四頁。「新たな歴史学」への言及は二五〜二六頁。
(22) フーコー、前掲書、三一頁。
(23)「歴史的思考とその位相」(一九七七)、二宮宏之『全体を見る眼と歴史家たち』、四五頁。
(24) 二宮宏之「歴史的思考の現在」(一九九三)、二宮宏之、前掲書、六五頁。
(25) 同前、六七頁。
(26) カテリーナ・クラーク、マイケル・ホルクイスト『ミハイル・バフチーンの世界』川端香男里・鈴木晶訳、せりか書房、一九九〇、二三七頁。
(27) 同前、二三七頁。
(28) 同前、二八〇頁。
(29) 同前、二八〇頁。
(30) 中国では近代中国史のミクロ・ヒストリーとして知られている歴史研究者王笛さんの研究書『袍哥：一九四〇年代川西郷村的暴力與秩序』(北京大学出版社、二〇一八)が二〇一九年五月十五日に「呂梁文学賞」の「非虚構作品賞」を受賞した。このことは中国の文学と歴史学業界の人々を驚かせた(英語版：Di Wang, *Violence*

and Order on the Chengdu Plain: The Story of a Secret Brotherhood in Rural China, 1939-1949, Stanford University Press, 2018）。本書は一九三〇年代に、ある大学生の社会学レポートを手掛かりに、この時代における四川省の秘密結社である哥老会が中国四川省の農村部において如何に国家権力とは別にその支配力が強く機能していたかを綿密に追跡する研究である。彼の歴史研究と小森陽一の小説研究との境界線は実にあいまいなものである。

（31）ここの議論は筆者の小森著書解説に基づいた。詳しくは林「解題 歴史の詩学を求めて」小森陽一『構造としての語り（増補版）』（青弓社、二〇一七）所収、四五七～四六八頁を参照されたい。

（32）Tom Rockmore, *In Kant's Wake: Philosophy in the Twentieth Century*, p.63.

（33）この引用は長谷川貴彦『現代歴史学への展望――言語論的転回を超えて』岩波書店、二〇一六、一〇三頁に教わった。Gareth Stedman-Jones, "The Determinist Fix: Some Obstacle to the Further Development of Linguistics Approach in the 1990s" in Gabriel Spiegel (eds.,) *Practicing History: New Directions in Historical Writing after the Linguistic Turn* (London: Routledge, 2005).

（34）柄谷行人『政治と思想１９６０－２０１１』平凡社ライブラリー、二〇一二、六四頁。

（35）柄谷行人「二つの精神、二つの十九世紀」『現代思想』（臨時増刊総特集「日本のポストモダン」）青土社、一九八七年十二月（Vol.15-15）。

（36）この問題について、拙著『「修辞」という思想――章炳麟と漢字圏の言語的批評理論』（白澤社、二〇〇九）を参照されたい。

（37）酒井直樹「近代の批判――中絶した投企：ポストモダンの諸問題」、前掲『現代思想』（臨時増刊総特集「日本のポストモダン」）。

（38）Naoki Sakai, "Modernity and its critique" in Masao and H. D. Harootynian eds., *Postmodernism and Japan*, 93-94.

第二部　「戦後」と歴史性をめぐって

第四章　戦後日本知識人の平和主義理念と「現代思想」
――カント解読と「東アジア」をめぐって

はじめに――マルクス主義とカントと戦後日本の平和思想

マルクス主義が戦後日本の知識人に与えた影響は大きいが、これはむしろ西側の資本主義陣営において、ある程度共通している現象である（自称「社会主義」陣営においてはマルクス主義が党派的な公的なイデオロギーとなり、マルクスの思想そのものからはかなり離れるようになった）。しかし、マルクス主義と、日本における戦争反省／否定と平和主義理念、加えて本章で論じるカント平和論の影響との関連は多少戦後日本の特有の文脈にある。

マルクス主義を信奉する日本共産党は戦時中に獄中転向をした者もいたとはいえ、唯一戦争に反対してきた政党として戦後の一時期において莫大な影響力があった。ところで、一九四六年において天皇制の存続と平和憲法第九条を含む新憲法草案との「パッキング」が登場した際に、新憲法の最大の反対勢力となったのは、日本共産党であった。新憲法は天皇制を残存させ、ファシズムにつながる国家資本主義を擁護するからである。小熊英二の指摘によれば、憲法草案が政府案として公表される前日、一九四六年三月五日の木下侍従長の日記によると、民主化憲法の宣言は「天皇制反対の世界の空気を防止せんとし」たためである。[1] 結果的には戦後の文脈において平和憲法第九条と自衛戦争を含めた戦争放棄は、「資本主義擁護や侵略責任のあいまい化と、一体にされていたのである」。[2]

マルクスは国家否定と資本主義批判の思想であるし、国際主義も提唱しているので、戦後日本でマルクス主義が戦争反省に与えた何らかの影響は、共産党系の知識人に限られるものではない。ただカント（一七二四－一八〇四）について言えば、研究者以外は「カントも？」と意外に思われるかもしれない。しかし、戦後日本の文脈において、特に「ポスト八九年」以後、カントも戦後日本の知識人の戦争責任反省と平和主義理念の追求に密接に関わってきたことは無視できないであろう。

本章において東アジア研究者としての立場からカント解釈と近代日本、特に戦後日本と平和思想との関連の系譜を整理したうえで、後半部において、特に「現代思想」の文脈にある柄谷行人のカント解釈に絞って論じたい。またこの辺のカント解釈をほかの外国の思想家、特にハンナ・アーレントの読みと大まかに対比しながら論じてみたい。この文脈はその後の日本のポストモダニズムを理解するために重要であると本書は考えている。戦後の知識人の知的欧米化は反米左翼民族主義とアジアに対する複雑な感情と不可分な関係にあるとすれば、このことは冷戦構造と深い関係にあることはいうまもでない。

戦後思想と東アジアの両視点から日本のポストモダン思潮を見ようとするならば、カントが関係することを理解するのはそう難しくない。まず、カントと平和主義との関連が東アジアに関係していることは理解されやすい。次に、カントとポストモダニズム思潮との関連で言えば、カントへの回帰はグローバル的に見れば「ポストマルクス」主義の必然的な現象だといえる。マルクスがヘーゲルの批判的継承者でもあることは思想史の常識だとするならば、ヘーゲル／マルクスからカントへと移行するのも理解しにくいことではなかろう。

第一節　カントの平和論（一）――「公的」と「自由」という概念との関連において

カントの平和論は一般的にいうとカントの「啓蒙とは何か」（一七八四）、「世界公民的見地における一般史の構想」（一七八四）などの論文、『永遠平和のために』（一七九五、増補版一七九六）などの著作に表されている。ここで最小限度においてカントの平和思想の紹介をしてから本論に入りたい。

カントは、例えば、直接世界平和の問題を考える『永遠平和のために』第一章において永遠平和のための「予備条項」を次のように挙げた。

「第一条項　将来の戦争の種をひそかに保留して締結された平和条約は、決して平和条約とみなされてはならない。」

「第二条項　独立しているいかなる国家（小国であろうと、大国であろうと、この場合問題ではない）も、継承、交換、買収、または贈与によって、ほかの国家がこれを取得できるということがあってはならない。」

「第三条項　常備軍（miles perpetuus）は、時とともに全廃されなければならない。」

「第四条項　国家の対外紛争にかんしては、いかなる国債も発行されてはならない。」

「第五条項　いかなる国家も、ほかの国家の体制や統治に、暴力をもって干渉してはならない。」

「第六条項　いかなる国家も、他国との戦争において、将来の平和時における相互間の信頼を不可能にしてしまうような行為をしてはならない。(3)」


そして『永遠平和のために』第二章においては、国家間の永遠平和のための「確定条項」として以下の三つを挙げた。

「永遠平和の第一確定条項　各国家における市民的体制は、共和的でなければならない。」

「永遠平和の第二確定条項　国際法は、自由な諸国家の連合制度に基礎を置くべきである。」

「永遠平和の第三確定条項　世界市民法は、普遍的な友好をもたらす諸条件に制限されなければならない。(4)」


カントが「永遠平和のための第一確定条項」として挙げた「共和」とは、現在の意味では一応民主主義と解されるが完全には同じではない。カントは「共和制は執行権（統治権）を立法権から分離することを国家原理とするが、これに対して専制は、国家がみずから与えた法を専断的に執行することを国家原理とする」と述べている。[5] つまり立法権と執行権（司法権と行政権）とが分離している分権制の国家を主張した。これがカントのいう共和制である。これはモンテスキュー（Charles-Louis de Montesquieu、一六八九－一七五五）がその『法の精神』においていうような、三権分立に通じるものである。

次に、カントによれば、共和制は平和の必須条件だが、それだけでは平和になるには不十分である。[6] カントはさらに「自由な諸国家の連合制度」、つまり国際連盟とそれに基づく「国際法」の必要性を強調した。

共和制について「一応現代の意味での民主主義である」と言ったのは、カント的な自由が道徳と関わっているからである。自由が道徳と関わることがもっとも体現されているのは、公的なものと関わってくる場面である。しかし何が「公的」であるかについてのカントの定義は特別である。例えば『永遠平和のために』より約十一年前の論文「啓蒙とは何か」（一七八四）においてカントは、人類が「未成年状態」から脱することを「啓蒙」と定義し、「未成年状態」とは「他人の指導がなければ、自分自身の悟性を使用し得ない状態」であると定義した。[7] カントの「未成年」という比喩は啓蒙が「成年」であることで直線的な目的論的な歴史イメージだと誤解されがちであろう（このような、歴史が無限に進歩すると想像することは啓蒙主義者の一傾向なのである）。しかし実際はそうではない。「未成年」とは道徳性の低さと公共性の低さと密接に関わっているからである。例えば、カントは「ところでこのような啓蒙を成就するに必要なものは、実に自由にほかならない、しかもおよそ自由と称せられる限りのもののうちでも最も無害な自由――すなわち自分の理性をあらゆる点で公的に使用する自由である」と述べている。(8)

ここでカントの言っていることは『論語』顔淵編における孔子と弟子顔淵との問答を思い出させる。「克己復禮、天下歸仁焉。為仁由己、而由人乎哉?」という目標に如何にして達し得るかという質問に対して、孔子は「非禮勿視、非禮勿聽、非禮勿言、非禮勿動」と答えた。これをカントの上で言っている論理に即して敷衍するならば、すなわち仁という天下が認めるような普遍的倫理的理念を実現することができるのは、他律的手段を通してではなく、自律的なものでなければならない。自分の理性をあらゆる他者への想像力の元においてのみ使用するならば、「仁」という目標に達することができるのだ。

カントにおける「公的」とは、「全公共体」、すなわち「世界公民的社会の一員」としての意味である。(9)それと対照的なのは、「理性の私的使用」である。後者について、カントは「公民として或る地位もしくは公職に任ぜられている人は、その立場においてのみ彼自身の理性を使用することが許される」とまず「私的」であることの例を挙げた。(10)政府の「公職者」はまだ「公的」ではなく私的であると言っているのである。そしてもう一つの例としてカントが教会の伝道者が「教区の信者達を前にして彼の理性を使用する仕方」は、「もっぱら」理性の「私的使用」であるとしている。(11)政府を私的組織と見ることとは、カントの思想においてネーション、国家を超えることの可能性について考えることと関わっている。もう一つの例にある、教区の伝道者を理性の私的使用者として見たことは、彼が「宗教における未成年状態こそ最も有害であると同時にまた最も恥ずべきもの」だと見たこととも関わっているかもしれない。(12) いずれにせよ、カントはここで理性の公共的使用（世界公民のための理性の使用）VS. 私的使用（国家、教会のための理性の使用）という構図を立てている。

第二節　カントの平和論（二）――「啓蒙」、「道徳」、「世界」との関連において

「啓蒙」という「成年」状態が「公的」、したがって道徳と関わっていることは、カントの「文化」や「学問」に対する見方からも窺える。カントは理性の公的使用について「或る人が学者として、一般の読者全体の前で彼自身の理性を使用することを指している」という例を挙げている。(13) 同様に、もし伝道する牧師が著書や論文を通して「本来の意味での公衆一般、すなわち世界に向って話す学者として」議論する場合は、理性を公的に使用する者となる。(14) かくしてカントは学問に世界公民的な普遍的な意味を賦与している。このような学問と道徳性との関連の観点は、カントの「世界公民的見地における一般史の構想」という論文においても述べられている。(15)

ルソーは、文明よりもむしろ未開人の状態をよしとしたが、もし我々人類がこれから登りつめねばならぬこの最終段階を見落とすならば、ルソーの説もさほど間違っていなかったと言ってよい。我々はいま技術と科学とによって高度の文化に達している。我々はまた諸般の社会的な

礼儀や都雅の風に関して、煩わしいまでに文明化している。しかし我々自身をすでに道徳的にも教化されていると見なすには、まだ甚だしく欠けているのである。文化は、更に道徳性という理念を必要とするからである。

ここにカントの冷徹な「文明」批判の態度が見えている。ジャン・ジャック・ルソー（一七一二―一七七八）への言及は、『人間不平等起源論』や『言語起源論』において人類学的な観点が散在しているためで、構造主義人類学者のレヴィ＝ストロースがルソーを人類学の始祖と見ていることを思い出されよう[16]。このルソーこそ、一七五〇年代末から一七六〇年代初めにカントに莫大な衝撃を与えたのである。「ルソーがこの私を正道にもたらしてくれた。目のくらんだおごりは消え失せ、私は人間を尊敬することを学んだ。（中略）その尊敬が、他のすべての研究に、人間の諸権利を顕揚するという価値をあたえうると信じ」た、とカントが述べているほどの人物である[17]。それまでのカントはもっぱら自然にのみ関心を集中している学究である[18]。

未開社会への評価は、カントが啓蒙主義者であることと矛盾しているように思われるのであれば、それは人類の進歩を科学の進歩と理解している啓蒙主義者にありがちな間違いにほかならない。このような誤解は直線的な進歩主義者にとってごく自然なことである。カントがそのような啓蒙主義者と異なるのは、近代批判者であると同時に、人類の道徳性の進歩、すなわち世界公民の道徳性の進歩こそ、「文化」そして「文明」の真の意味だという見解である。そうであるがゆえに、未開社会に対するルソーの評価にカントは共鳴しているのであろう。カントの念頭にある人類の「啓蒙」または「成年」状態とは、ほかならず世界公民的な道徳性にあると理解しうる。

永遠平和とは、高遠なユートピアとして一笑に付される可能性が高いことをカントは承知したうえで考えているようである。なぜ永遠平和が可能であるかと言えば、カントから見ればそれはつねに道徳、自由と直結している問題だからである。『永遠平和のために』の付録論文の書き出しにおいて、カントは「道徳は、無条件で命令する諸法則の総体であり、われわれはその諸法則にしたがって行為すべきなのであるから、道徳はすでにそれ自体として、客観的な意味における実践である」と述べている[19]。すなわち道徳は定言命法的、すなわち自律的なものであるがゆえに、自由に基づくものである。カントはまた「もし行為が何か或る別のものを得るための手段としてのみ善であるならば、その命法は仮言的である」と、「定言命法」と違う「仮言命法」を定義している[20]。他人を手段として何かの目的を成し遂げたにしても、それでは依然として他律的なものでありカントのいう「自由」では全くない。それに対して「定言命法」とは、「行為を何かほかの目的に関係させずに、それ自体だけで客観的―必然的であるとして提示する命法であると言えるだろう」と述べている[21]。すなわち定言命法は無条件に他人を目的とするので自律的なものであるがゆえに自由である。

上のカント的意味は、「自由や自由に基づく道徳法則」というカントの言い方からも窺える[22]。

カントは哲学を「自然哲学」としての「理論的哲学」と「道徳哲学」としての「実践的哲学」とに二分し、「道徳哲学と呼ばれるところのものは、理性が自由概念に従って行う実践的立法にほかならないから」と述べている[23]（また、カントは上の意味について、「我々の全認識能力は二つの領域を有する、即ち自然概念の領域と自由概念の領域とである。我々の認識能力は、この二通りの概念によって、それぞれア・プリオリに立法を行うからである。そこで哲学もまたこれに応じて、理論的哲学と実践的哲学とに区分される。」とも言い直している[24]。ここからもカントの道徳が自由、実践と不可分な関係にあることが分かる。

繰り返すが、カントの「自由」にそのような道徳的側面があるという特徴は、カントが「絶対的に善であるような意志の原理は、定言的命法でなければならない」と述べ、「自由の概念は意志の自律を解明する鍵である。」と述べていることからも窺える[25]。すなわち「自由意志と道徳法則に従う意志とは、ひっきょうは同一のものなのである。[26]」

ここから窺えるように、カントのいう「自由」とは、日常的に言う意味でのリベラルな個人の自由のほかに、共同体の外でも通用する理性の使用、即ち世界市民につながる道徳性に関連するものである。――ここでとりあえず柄谷行人と同じように、倫理と道徳を同じ意味で使おう。というのは、柄谷も指摘したように、ヘーゲルの場合、「道徳」は主観的なもので、「倫理」を習俗規範（家族・共同体・国家）として道徳の上位に置いている[27]。柄谷は逆の意味で使ったり混用したりしている場合もある[28]。柄谷がここで言及したのは、カント主義的「道徳」を念頭に、ヘーゲルが『法の哲学』において「人倫」を肯定し、「道徳」を罵倒したことを気にしているのであろう。いずれにせよ、カントの「自由」は、他人を手段としてだけではなく他人を目的としても扱うものであり、その意味で自律的なのである。かくしてカントの世界共和国的平和論は、このような最高善に基づく自律的なものであり実践的な意味を有しているものである。

カントのいう「自由な国家」にある「自由」とは、自律的に道徳に従うことこそ自由であるという考えである。もちろん今日の民主主義も彼のいう標準には到達していない。世論を造ることを通して対外的に国民を「国益」に従わせることは、今日の民主主義国家もそうでない国家もそれほど変わらない。民主主義国家もネーションというある特定の共同体内部の論理であり、階級・人種・ジェンダーなどの内部の差異／問題を抱えながらその差異を理念的に／想像的に克服しようとするものである。

カントにおける世界（Welt）はカント独創の哲学的概念として「世界市民的意味」であり、「世間」と訳すのは不適切であるとの指摘がある。[29] 牧野英二の指摘によれば、世界（Welt）はギリシア語の「コスモス」からきており、Weltbürger とはコスモポリテースというギリシャ語のドイツ語訳だという。カントの時代においては「世界市民」／「コスモポリテース」という言葉は古代の都市国家に属さない人間のあり方を指しており、特定の時空間のなかで制約された住民ではないという意味があったが、一八世紀の啓蒙時代においては「コスモポリタニズム」は「半教養人の小児病」というネガティヴな評価もあった。[30] そして、牧野英二の整理によれば、カントの「啓蒙」の中心にある「世界市民主義」には次の二つの特徴がある。

(1)「あらゆる権威に対して個人の自由、あるいは出版・言論の自由」、「あらゆる権威に個人が独立」すること、そして「思考の自由を他人に伝達すること」、である。

(2)「公正で永続していく国内秩序と同じく、世界平和を基礎づけていく哲学的原理」、という特徴が挙げられる。[31]

こうしたカントの「世界」は、ヘーゲルの自由の意識の発展としての「世界史」における「世界」と対照的である。ヘーゲルの「世界」とは特殊な民族が中心となる「世界」であり、それは結局ある線的な時間に位置づけられる民族の構図またはヒエラルキーにほかならない（『歴史哲学』）。ヘーゲル的「世界」とは「世界精神」が展開／具現され、歴史を動かしてゆく場でもある。この点についてK・レーヴィットが「哲学の歴史はヘーゲルにとって世界の傍ら又は世界の上の出来事ではなく、「世界史の最奥」そのものである。両者をひとしく支配しているのは世界精神としての絶対者で、運動従ってまた歴史は世界精神の本質に属する」と述べたとおりである。また、「世界精神とは「各々の姿の中に漠然とした或いは多少進化した、いずれにしても絶対的なその（世界精神の）自我感情」をもち、各々の民族において「生の総体」を表出するものとなっている」とも定義した。[32]

ところでカントのいう世界共和国は「普遍的な友好をもたらす」「世界市民法」（ius cosmopoliticum）なるものが必要とされた。カントは「世界市民法」を、「外敵に相互に交流しあう関係にある人間や国家は、普遍的な人類国家の市民とみなされることができる」と定義した。[33] カントのいう「永遠平和」の状態は法的な状態（国際法的、世界市民法的）にある点が重要である。カントは「法」をかなり広い意味で使っているようである。例えば『永遠平和のために』の付録において政治を「実地の法学である政治」と「理論的な法学である道徳」と使い分けている。(34)

ちなみに、カントと儒家を融合することは可能であろう、と指摘しておきたい。実際中国では牟宗三（一九〇九―一九九五）などの、「現代新儒家」とも言われている現代の哲学者が試みてきたことである。(35)一つは実践と道徳との関係であり、もう一つは道徳的であることの可能性である。さらには「正直は最良の政治である」や「正直はあらゆる政治にまさる」という理論的な命題を政治にとって不可欠な条件として見ていることは孔子的孟子的な考えでもあろう。(36)特にカントと孟子が共有しているのは人間性への楽観であることは否めない。先秦の儒家の平和思想の核心概念にある「徳治」や「文」、「和」の思想はカントの考えに通底するものがある。入江啓四郎（一九〇三―一九七八）が過ぎ去ったばかりの戦争を念頭に、その『中国古典と国際法』（一九六六）において指摘したように、周の時代において「諸夏の相互関係を規制したものは、「礼」と総称せられるものであった。礼は周の実定法であり、慣習法でもあった。礼の意味するところは広く、それは道徳規範、儀典規範、法規範であり、修身斉家の私的領域から、治国平天下の政治的領域に及んだ(37)」。孔子などの儒家はまさにそのような礼治秩序が崩壊しはじめた紀元前四〇三年以後の混乱した秩序に対面している中で現われたものである。現代中国の「新儒家」がカントに魅かれたのは、人間が「内なる道徳律」に従うことこそ自由であるというカント的自律の観点であろう。

第三節　日本のカント解読史におけるカント平和論

カントの平和理論は国際関係理論や政治学などの分野において長く大きな影響力を持ってきた。近年の全球化（グローバリゼイション）における国連の使命と役割についての議論、及び冷戦後の国際秩序についての議論のなかで、カントの平和理論は一九八九年以来世界的に新たに注目を受けるようになった[38]。これについてカントのコスモポリタニズム理論の研究者であるポーリン・クレネルド（Pauline Kleneld）の次の整理を拝借したい。

二世紀以上、カントの国際権利の理論、特に彼の国家連合（a league of states）の主張は論争の議題となってきた。これ自体はカント理論の重要さの印である。リアリズムの主張者はカントの規範的な理論が国際的なアリーナにおいて適用できないという理由でカントの理論を強く拒絶した。にもかかわらず、カントの観点は、その支持者も得た。二〇世紀において国々が第一次国際連盟の結成に向かう過程において、そしてのちの国連を結成する過程において、ないしその実際の連盟がただカントの主張に部分的に対応したにもかかわらず、カントの国際連盟を擁護する理論がよく援引された（カントの主張に一番一致しない部分は恐らく常備軍を放棄しない点であろう）。近年の政治哲学者のなかでジョン・ロールズも明らかにカントに依拠しながら自発的な（国際）連盟を擁護した。ロールズはよく言うのは、彼が「カントの指導に従いながら」

自由で独立な諸国家の連合（彼の用語では〝人民people〟であるが）を主張し、いかなる形式での世界政府（world government）にも反対した。[39]

カントの平和論に注目した近代日本の書目として挙げられるもっとも古いものは、カント研究者浜田義文（一九二二―二〇〇四、元法政大学教授）の指摘によれば、自由民権運動の理論的な指導者である中江兆民（一八四七―一九〇一）の政治評論書『三酔人経綸問答』（一八八七）におけるカントの平和論についての紹介である。[40]この本は西洋近代思想を説く「洋学紳士」と、膨張主義的国権論を唱える「豪傑君」、及び現実主義的民権論者の「南海先生」という「三酔人」の会話に託しながら議論を展開させたものであるが、兆民は、「洋学紳士」の口を借りて、延々とカントの平和論を紹介した。[41]浜田の指摘によれば、二番目に挙げられるのは、哲学者朝永三十郎（一八七一―一九五二）の『カント平和論』（一九二二、改造社）である。[42]

戦前・戦中全体から言うと、カントの平和主義思想への注目が大きかったとは全く言えずむしろ少なかったと言うほうが正確であろう。しかし、大事なのは、浜田義文を含む戦後世代の知識人による、日本におけるカント平和論に注目した「系譜」の発掘ないし特権化である。侵略戦争をしてきた近代日本への反省が明らかに戦後世代の知識人にあるからである。

カントの平和論の「系譜」を「発掘」する際にいつも出てくるのは、政治学者で戦後最初の東大総長であった南原繁（一八八九―一九七四）である。「マルクス主義の源流を求めてドイツ観念論の世界に分け入った」南原が特に注目したのはカントである。[43] 南原は戦時中にその『国家と宗教——ヨーロッパ精神史の研究』を一九四二年十一月に出版したが、その第三章は「カントにおける世界秩序の理念」という論文で、カントの平和論を積極的に取り上げたものである。初出は早く一九二七年にその恩師小野塚喜平次教授在職二五周年記念の論集『政治学研究』第一巻に現われたものである。南原はドイツ留学中に新カント派法学の代表者の一人とされるルドルフ・シュタムラー（Rudolf Stammler）に師事していた。南原の政治思想は、「民族社会主義」のナチズムを批判していることはもちろん、「科学」の名によって社会と自然とを同一法則によってとらえるマルクス主義者の「社会的自然主義」に対しても、「文化的社会主義」の自分の主張でもって批判した。[44]
また、新カント派の法哲学者恒藤恭（一八八八－一九六七）の『批判的法律哲学の研究』（内外出版株式会社、一九二一年）も、日本の法哲学界に新カント派の法哲学を導入した本である。[45] 恒藤恭は戦後一九四六年から一九四七年までの論文を収めた『新憲法と民主主義』を一九四七年に岩波書店から出版し、憲法第九条を中心に展開した。
平和憲法第九条の発案は謎である。敗戦後、親米派で外交経験豊かな組閣者、幣原喜重郎（一八七一－一九五一）の発案との説があるが、発案に対する疑問は南原繁が貴族議員の立場から質疑したことから窺える。[46] 戦争直後の南原は、貴族院議員として憲法改正案の審議に加わっていた。一九四六年三月六日に「突如として、現在の憲法改正草案が政府によって発表された」ので、八月二七日には憲法改正案に関する質問演説を行ない、前首相幣原国務大臣と吉田茂総理大臣に答弁を求めた[47]。今日の保守化した日本政治において平和憲法第九条は体制批判者にとって重要な武器と象徴になってはいるが、しかし、発案されたばかりの当時の文脈における反応は複雑なものである。南原は共産党とともに憲法改正案にある「第九条」に対して反対した。南原の反対理由は国家の自衛権の正当性と国際貢献の問題（例えば国際連盟に加盟する際に義務づけられている国際平和維持活動への兵力提供）であるが[48]、それに対して、唯一侵略戦争を敢行した体制と戦ってきた共産党の第九条反対理由は、国家独占資本主義と結びついたファシズムの陣営に対する、人民のための解放戦争と侵略戦争とを区別させることと、戦争の最大の責任者である天皇制を残存させていることである[49]。小熊英二の指摘によれば、保守的な政治家が憲法を容認していった大きな理由は、象徴天皇制を認めた第一条の存在だったが、共産党と同じく左派陣営の社会党は天皇制容認のスタンスで共産党と対立するようになったこともあり、全体としては新憲法草案の公表は保守政権の危機を救うかたちとなった[50]。

近年の日本政治の保守化による戦後平和主義理念の転用としては、例えば、保守側からは二〇一五年八月十四日の終戦七十周年の談話において首相安倍晋三によって「積極的平和主義」というキャッチ・フレーズが頻繁に使われていた。それに対して、「積極的平和主義？　平和に形容詞はいらない」、という平和憲法第九条を守る著名な知識人たち（「九条の会」の発起人の梅原猛、大江健三郎、奥平康弘、澤地久枝、鶴見俊輔）の批判が見られる[51]。日本の再軍備化を危惧する法政思想史研究者の山室信一（一九五一－）の『憲法九条の思想水脈』においても近代日本非戦の思想的水脈をカントの『永遠平和論のために』に遡っている[52]。保守側もリベラルな知識人も「平和主義」を大義名分として使っていることは興味深い。

小熊英二が指摘したように、一九四六年において既成事実に順応する「現実主義者」の「順応」としての「平和主義[53]」と理想を信じる「本当の平和主義」がともに平和憲法第九条を歓迎するなかで、第九条は、新しいナショナリズムとモラルの基盤として語られていた[54]。しかし、近年の文脈においては第九条によって象徴されていた非戦の思想がアメリカのグローバルな軍事態勢に追随する体制を批判する側面が強いことはやはり無視できない。今日になって日本共産党が平和憲法を守る主な政党になっていることは時代の変遷を感じさせる。

戦後のカント研究者のカント平和思想への注目は、例えば、宮田光雄（一九二八－）の『平和の思想史的研究』（一九七八）の「カントの平和論と現代」や、浜田義文『カント哲学の諸相』（法政大学出版会、一九九四）の「カントの平和論」などが挙げられる。一九八六年十一月には日本カント協会が「カントの平和論」についてシンポジウムを行なった[55]。近年の日本の政治が保守化するに伴って危機意識の強い知識人のなかでカントの平和論を注目するものが増えている。このことは、日本カント協会が二〇一三年十一月に「シンポジウム　カントと日本国憲法」を行なったことからもうかがわれる[56]。このことが憲法改定の動きと関連していることは言うまでもない。

近年の日本のカント研究の関心が平和憲法と関連していることを、例えば、杉田孝夫は次のように指摘した。

戦前の大日本帝国憲法から戦後の日本国憲法体制への転換は、ホッブズ、ロック、ルソーを中心とする政治思想研究へと政治思想の学問対象の転換も引き起こした。その後英米仏思想の系譜のなかで日本国憲法体制を理解することが主流となった戦後政治学の精神風土においては、「カントと日本国憲法」という主題は、「戦争と平和」の問題を別にすれば、いわば忘れられた主題となった(57)。

近年、危機意識によってカント平和論の討論がカント研究者の間にも活発になってきた。例えば、日本カント研究会の元会長でもある牧野英二（一九四八―）は、カントの「世界市民主義」および「世界市民法」の思想がカントの付随的な思想であるという解釈を退けた。牧野によれば、カントの「世界市民主義」および「世界市民法」の思想は、『純粋理性批判』（一七八一）以降、最晩年まで一貫した最も重要な思想である「世界」概念に根ざしており、したがってこれが「世界市民」の概念と不可分な関係にあるかぎり、世界市民主義の思想は、批判哲学の中心思想に属すると強調した(58)。牧野英二のカント研究は東アジアを強く意識している(59)。このことは、戦後日本におけるカント平和思想重視の伝統と関わっていると理解できよう。戦後日本の他のカント研究者がカント的コスモポリタニズムの立場からカントの愛国心批判に対して注目するのも、もちろんこの平和主義の伝統と関わっている(60)。

第四節　ポストマルクス主義のマルクスまたはカント
——戦後日本の平和論系譜における柄谷行人のカント解釈

柄谷行人は二〇〇一年十月に出版した『トランスクリティーク——カントとマルクス』をはじめとする一連の著書において、彼のカント解釈を展開した。彼のカント解釈を戦後日本における平和主義理念との関連で簡単に紹介する。カントの平和理論への関心は日本の文脈においては戦後平和主義の理念と関わっている。長い間、日本の非戦伝統を支えてきたのは、日本のマルクス主義者とリベラリストたちである。しかし、戦後日本において、特に一九八九年の「ポストマルクス主義」または「歴史の終わり」の文脈においてはカントの平和思想の日本平和主義に対する貢献も無視できない。

柄谷におけるカントへの移行は、ヘーゲル的にマルクスを解釈することからカント的にマルクスを解釈し新しい理論を構築した、ということができるかもしれない。柄谷はその著作において「マルクス」と「マルクス主義」とを使い分け、前者をカントとの融合で再構築し発展させている。「マルクス主義」に対しては終始批判した。

柄谷のカント的マルクスまたはマルクス的カントの理論的構築は国際的名声を勝ち取り、戦後日本の知識人のなかで、海外で一番読まれていると言っても過言ではない存在となっている（戦後知識人のなかで莫大な影響を有する丸山眞男の著作の翻訳が何らかの理由であまり進捗していないこととも関わっていようが）。カントへの回帰は別に柄谷だけにみられる選択ではない。むしろ一九八九年以後の世界的な現象である。そうであるがゆえに、マルクス主義者から批判も受けている。[61]

このような批判が出たのも無理はない。というのは、カントは非歴史的であり、ヘーゲルは歴史的であるという認識の方がむしろ一般的だからである。このような認識は、例えば、アメリカの哲学者のトム・ロックモアの次の言葉から明らかである。ロックモアによれば、「カントとヘーゲルの間にある主な違いは後者の歴史への回帰である。フランス革命の結果としてカント以後のドイツ観念論はさらに歴史への回帰を見せた。ヘーゲルの歴史への深いパースペクティヴはマルクス自身の政治経済学の歴史批判を決定した」と。[62]カントの歴史哲学についての一番系統的な叙述はせいぜい彼の論理学講義に見られているぐらいである。[63]そしてロックモアはヘーゲルをカント以後の観念論系譜においてはじめて経済を研究する者として位置付けているのに対して、「私の知っている限りにおいてカントは政治経済学について議論したことがなく、むしろ近代生活の道徳的な側面を強調するほうである」、と見た。[64]

柄谷は、ロックモアの『カントの航跡のなかで――二十世紀の哲学』におけるカント解釈について、「ロックモアのやり方が、私と似ていたからである。」と述べてそのカント読解に賛成した。[64]

彼は逆に、カントの立場から、現代の主要な哲学（プラグマティズム、マルクス主義、大陸哲学、分析哲学）を見ようとする。つまり、それら四派を、カントに対する一連の応答として考察する。その上で、それらがカントに応答するどころか、彼が達した地点を理解さえしていないことを示そうとした。このような姿勢に私はまったく賛成である。

他方、柄谷は、カントを非歴史的な観念論者と見ているロックモアの解釈に対する反論として、「カントはけっして非歴史的に考えていたのではない。彼は大学ではもっぱら地理学と人間学について講じていた。彼の関心が「世界史」にあったことはまちがいないのだ。にもかかわらず、彼は観念論的な歴史論に向かわなかった。彼をひきとどめたものは何か。それは目的論的な観点への疑いである。」と、反論した[66]。このような見解はほかのカント研究者にも見られる。例えばウードはカントにおいて歴史が重要な意味を持っていると見ながら「自然的目的論」の人類史だとも批判した（Allen W. Wood, *Kant*, Blackwell, 2005, pp.110-128）。そして柄谷は「カントは一方で、エピクロス的な見地に立ち、歴史を目的論的に見ることをあくまで斥けたが、同時に、目的論的観点をとることが理性の統整的使用としてのみ許される、と考えたのである」と、カントを弁護した[67]。そして、若いマルクスをカントの延長線上に見て、二人ともコミュニズムを構成的理念として見る、すなわち目的論的にコミュニズムを必然的に実現する理念として見ることを斥けたものとして柄谷は見たわけである。カントによれば、「統整的原理」とは「経験的認識を構成する原理」ではないのに対して、「構成的原理は経験を可能ならしめる原理である。換言すれば感官の対象の経験的認識を構成する原理のことである」(『純粋理性批判』中、篠田英雄訳、岩波文庫、二〇〇一、六九九頁、三三七頁)。柄谷が同時にカントもマルクスも根本的にコミュニズムは倫理であると主張する者だとして見ていることを意味している。「一つだけ念を押しておきたいのは、資本制段階からコミュニズムへの発展はけっして歴史的必然ではないということです」と柄谷が述べているように[68]、マルキシズムにある歴史必然性、さらにそれと関連しているコミュニズムを明確に切り捨てる。

柄谷は自分の解釈でカント解釈の主流に逆らおうとしている。カントを目的論的「世界史」に対する批判的な思考者と解釈することでマルクスなみの世界史思考者とし、それは後期の、エンゲルスに染められたマルクス主義の目的論的史観を超えているとみなすことになる。たしかにカントが世界史的な思考をしようとしてきたことは納得される。しかし、その世界史とは経済的視点が不在の世界史であることも同時に指摘しておくべきであろう。これこそ柄谷がカントとマルクスとを融合させる必要性そのものであろう。

他方、カント的に解釈されるマルクスとは如何なるものなのか。むしろ柄谷自身の言葉で見たほうが精確であるかもしれない。

「否定の否定」を続けるといっても、何の理念もないなら、それはできない。そのようにいうマルクスには、じつは、共産主義という理念があるのです。彼は強引に実現するような設計的な理念を否定した。しかし、それは共産主義という理念を否定することではない。このことをどう説明したらいいか。僕は、それをカントから学んだのです。／カントは「構成的理念」と「統整的理念」を区別した。あるいは、理性の「構成的使用」と「統整的使用」を区別した。構成的理念は、現実化されるべき理念です。統整的理念はけっして実現されないが、指標としてあって、それに向かって徐々に進むほかないような理念ですね。ここからみると、マルクスが否定したのは、構成的な理念だということがわかります。[69]

ここに見られるように、柄谷は「共産主義」という伝統マルクス主義の目的論的または「構成的」理想の定義をカント的に変えた。たしかに共産主義とは実現できる理念として説得力があるわけではない。それはハンナ・アーレントが『革命について』で示唆しているように、解放や進歩、ましてや共産主義の実現という約束は、世俗化されたキリスト教的救い（Salvation on Day of Judgement）の概念にほかならないからである。[70] ヘーゲルもマルクス主義者ももちろんこのような目的論的な歴史観に依拠してきた。他方、共産主義は資本主義を批判するマルクスの指標と視点として、とりわけ柄谷のいうカント的な統整的理念として十分意味がある。上の引用において柄谷はすべての理念を否定するポストモダニズムを批判した。

若いマルクスをカントの延長線上にある存在として見ることはもちろん柄谷がはじめてではない。例えば、次の引用に見られるようにほかの思想家にも似たような試みがあった。

まさしくイデオロギー的な、この人間学の典型はフォイエルバッハであるが、その源となったものはカントである。ジャック・ランシエールが、カントとマルクスの関係はここでは決定的なものであったと強調しているのは正しい。「人間学的言説《ディスクール》を意味あるものとする対立」は、カント流の道徳観にあるものである。そして、カント流の道徳観は、普遍的なもの、人格の尊厳、それに道徳的行為者の自治なる三規範により、人間と人間本質とのあいだの調停が成立するとするのであるが、これは現に疎外を作り出し、それを永続化している資本主義の、経済的、社会的現実に矛盾するものである。青年マルクスのヒューマニズムと『一八四四年の草稿』の人間学は、歴史的、社会的面で、カントの理想主義を一般化するものに他ならない。(71)

人間学においてカント——フォイエルバッハ——マルクス、したがってカントとマルクスは本来間接的に繋がっている、という解釈が見られる。カントとマルクスを結ぶ解釈は、近年、例えば、「赤いカント」という読みで主流のマルクス解釈と主流のカント解釈に挑戦する著書もあるが、(72)基本的に柄谷のマルクス解読を含めてマルクス主義以後のマルクス解読であると言える。(73)

エルンスト・ブロッホの書名『希望の原理』（一九五九）を借りるならば、(74)柄谷はこのような「統整的理念」としての「希望の原理」、「超越論的な仮象」を構築しようとするのである。柄谷の理解にあるこのカント的な「目的（テレオ）」とは、マルクスが『ドイツ・イデオロギー』において定義した「共産主義」にかなり近くなっている。「共産主義というのは、僕らにとって、創出されるべき一つの状態、それに則って現実が正されるべき一つの理想ではない。僕らが共産主義と呼ぶのは、〈実〔践的な〕〉現実の状態を止揚する現実的な運動だ。」、と。[75]実際柄谷は上のエッセイにおいて青年マルクスをカントの「後継者」と見ているのである（『トランスクリティーク』も参照）。すなわち、柄谷的に敷衍するならば、マルクスは、「共産主義」が「一つの理想」ではない、つまり目的論的ではないことを強調しながら、その瞬間に、「現実の状態を止揚する現実的な運動」としての共産主義がカント的超越論的「統整的理念」となったのである。またカント的超越論的「統整的理念」となったがゆえに、「希望の原理」となれたのである。青年マルクスを柄谷の解釈したカントの延長線上に位置付けながら解釈し、さらにそこから得た若いマルクス像からカントを解釈しようとするのは、まさに柄谷の言った「トランスクリティーク」である。

小林敏明もその優れた柄谷行人論で柄谷におけるカント解釈と平和憲法との関連について指摘している。[76]ここでは思想史的な観点から戦後以来の日本のカント解釈の系譜において柄谷の議論を文脈化させ、歴史化させながら、簡単に補足するにとどめたい。

まず、柄谷の議論は資本―ネーション―ステートの三位一体に対する批判とカント的普遍性からの示唆があることはいうまでもない。上にも述べたように、例えば、カントが『啓蒙とは何か』[77]において、自由について「自分の理性をあらゆる点で公的に使用する自由である」と定義したが、カントにおけるこの「公的」とは、「全公共体」、すなわち「世界公民の一員」としての意味である。[78]

ここでスロベニアの哲学者であるスラヴォイ・ジジェクの柄谷『トランスクリティーク』に対す

る書評の一部を拝借したい。

柄谷は――ヘーゲルを批判するために――カント的イデアとしてのコスモポリタン「世界市民社会」(world civil-society、Weltburgergesellschaft) を主張した。(中略) カントにとっては、「世界市民―社会」は普遍的な単独性のパラドクスを表している――すなわち、単独な主体のパラドクスを表している。この単独な主体は、ある種の回避として、ある特定のものの普遍への直接な参入という媒介を迂回した。普遍性への共感はある種の包括的なグローバルな実体(「人間性」humanity) への共感ではなく、むしろ倫理的政治的原理への共感である――ある普遍的、宗教的共同体 (collective)、科学的な共同体、グローバルな革命的組織、これらのすべては原則として一人一人が参入することが可能である。これがすなわち、柄谷が指摘しているように、カントが『啓蒙とは何か』における有名な段落において私的という言葉に対立する「公共」という言葉が意味していることである。(中略) したがってこのパラドクスとは、まさに単独な個人としてあるものが「公共的」空間の普遍的側面に参入することは、実質的な共同体的な共感 (substantive communal identification) からの抽出であり、ないしそのよう実質的な共同体的な共感への反対となる――共同体的諸アイデンティティの隙間にいながら、ひとは徹底的な単独者としてのみ真に普遍的なものになる。(79)

かくして二〇〇〇年以降、特に『トランスクリティーク』（二〇〇一）以後、柄谷における「世界」という言葉は、しばしば批判期のカント的な「世界」、すなわち認識される対象とともに、道徳的な意味を持つコスモポリタン的理念としての世界となる。しかし、忘れてはならないのは柄谷の「世界」は同時にマルクス的意味での「世界史」の「世界」でもあることだ。すなわち政治経済的な意味での「世界」でもある。これは伝統的な解釈における「カント」と「マルクス」に対する新しい解釈の試みを意味するものである。

第五節　柄谷の政治思想における「カント」――アーレント、ハーバーマスとの異同

カントの全著作において「政治哲学」というタイトルの文章は見つからないようである。だが、ハワード・ケージルの指摘によれば、理性、コミュニケーションと啓蒙という三者の関連はカントの「啓蒙とは何か」（一七八四）に登場し『判断力批判』（一七九〇）において発展させられたが、これは二〇世紀の政治哲学の発展に大きな刺激を与えた[80]。カント哲学に政治思想なるものを読み出そうとした先駆者の一人にハンナ・アーレントがいる。アーレントがカントの「公共」という概念の含意を完全な形で探求したのは『全体主義の起源』（一九五一）と『人間の条件』（一九五八）においてであった[81]。アーレントは少なくとも一九五八年の『人間の条件』においてカント的概念「公共性」や、一九六一年の論文「文化の危機」においてすでにカントの解読を介しながら美的なも

のと政治的活動との共通的な性質、すなわち公共性とそれが基づく判断する能力を強調した[82]。ただし『人間の条件』は主にはアリストテレス、マルクス及びハイデガーとの対話の本であるとみなされているが[83]。アーレントは一九六四年にカントの政治思想について初めて講義を行ない、また、一九六五と一九六六年に、さらに一九七〇年の秋にその発展版の講義を行なった[84]。この講義はアーレント没後、『カント政治哲学の講義』(一九九二)として出版された[85]。アーレントは批判哲学の判断力論とレトリックの伝統との関係に着目し、美的反省的判断力のコミュニカティブな側面を強調した。アーレントは「カントは一八世紀の趣味の現象に対する関心とその美学及び社会的交互(social intercourse)における役割に従いながら『判断力批判』を執筆した[86]」。

アーレント以後のカント政治思想の論者にジョン・ロールズ(一九二一―二〇〇二)やユルゲン・ハーバーマス(一九二九―)が挙げられるが、一般的にはロールズから窺えるように、カントの政治哲学はリベラリズムと見なされることが主流である。ただしロールズのリベラリズム政治学の代表作と見なされている『正義論』(一九七一)を、アメリカの若い世代の政治哲学者であるマイケル・サンデル(一九五三―)がコミュニタリアニズムの立場から批判している[87]。他方、ハーバーマスは公共性とコミュニカティヴな理性との関係を大きく発展させた[88]。

柄谷行人の『トランスクリティーク――カントとマルクス』と『世界史の構造』を柄谷の政治思想、政治哲学として位置づける場合、例えば、同じくカントを多用したハーバーマスやアーレントの政治哲学が想起され、対比も可能である。『トランスクリティーク』においてアーレントやハーバーマスに言及した箇所は、それぞれ二箇所しかないが、しかし、柄谷における「カント」と比較するうえで興味深い。

まず、柄谷のこの二冊の著書とアーレントが類似している重要な点はカントが大きく介在する政治哲学、という点である。[89] アーレントの解読したカントの『判断力批判』によれば、カントが趣味判断について要求したのはすなわち「普遍的伝達可能性 general communicability」であり、私の理解では「批判的思考」とは伝達可能性をも含むはずである。そして imagination（構想力）を他者への想像力（構想力）として「他者を現前せしめる」ものだと述べている。[90] ただアーレントの「権力」概念を批判するハーバーマスによれば、アーレントの政治学は、「権力のコミュニケーション的な産出を制度的に永続させようとする試み」であり、「コミュニケーションによって生み出された権力」という概念こそ、アーレントの政治学の核心である。[91] ハーバーマスの理解したアーレントの「権力」概念の定義は、「強制なきコミュニケーションにおいて自己を共同の行為に一致させる能力」である（同前、三二四〜三二五頁）。つまり「コミュニケーション行為のなかで形成される権力」である（三二八頁）。あるいは、一言で言えば、コミュニケーションによって生まれる合意が権力そのものとなると理解できる。そして「政治諸制度は強制力《ゲバルト》によってではなく、承認によって生きているのである」と。[92] ハーバーマスは、権力のコミュニケーション的創出と政治的権力に関する戦略的競争という二つのレベルを使い分けて、アーレントがコミュニケーション行為を「唯一の政治的カテゴリー」に限定すること、「政治的なものを実践的なものへと根本概念的に限定する」ことを批判した[93]。いずれにせよ、柄谷もアーレントと同様に、「他者の政治学」を主にカントの『判断力批判』に依拠しながら構築しようとした。

そしてアーレントはヨーロッパの政治思想史におけるマルクスの意味を評価し、マルクスを全体主義の源だと見る見方を批判し、マルクスを性急に告発する考えを斥けた[94]（このような告発は冷戦という文脈にあることも無視できない）。この点も、マルクスの意味を新しい社会的政治的文脈において始終探求する柄谷と、同列に論じることを可能とする。柄谷は正統派マルクス主義に対して批判的であるが、カント的マルクス（またはその逆で）で独自に理論を構築し発展させようとした。これも両者を合わせて見ることのできる点である。

アーレントは、マルクス主義に対する批判・相対化として、マルクス主義において中心となった「社会」を否定的にとらえ、社会の肥大化が擬似的な家族化であり、その過程において家族と社会がイコールとなることによってメンバーが均質化され、公共圏が成り立たなくなると理解した[95]。アーレントの「社会」否定は、社会を経済的な単位としたマルクス主義の経済中心主義に対する批判の意図もあろう。そしてアーレントは、この「社会」の原理を国民国家の原理に類似させ、「社会」の肥大が国家の肥大にも通ずると理解する。これは国家を乗り越えるための思想としても理解できる。アーレントの「国家」に対する警戒は「資本―ネーション―国家」の三位一体という構造において国家の肥大化、資本の遍在化、それらと結託するネーションを批判する柄谷との違いも明らかであるが、国家の肥大化を批判する点では、両者は相通じている。

また、アーレントはマルクスの暴力肯定を批判したことで知られているが、マルクスが「労働」を賛美し「労働」概念中心に政治領域を捉えることに対してもそれ自体が共産主義の考えに矛盾するものだと批判的である。[96] 柄谷のマルクス解釈にある「搾取」や「労働」の不在もアーレントのマルクス批判に通底するものがあるが、むしろ彼の場合ポストマルクス主義のマルクス理論の再構築の試みである[97]（この点について日本の「現代思想」の代表者の一人である上野千鶴子がその正統派マルクス主義を批判する『家父長制と資本制』においてむしろ積極的に「階級」「労働」というマルクス的概念を導入したことは柄谷と対照的である）。

さらにアーレントも柄谷も、カントの世界市民の概念を利用して自分の政治学を構築しようとした。アーレントの political という概念は、言論（speech）と倫理に関わっている。例えば、アーレントは戦争または革命の理論は暴力の正当化であるので、political どころか、反政治（antipolitical）になっていると批判した。[98] これも柄谷のカント的平和論にも通じるものであろう。柄谷の両書において展開された政治的なユートピアも、カントの「永久平和論」と「世界市民」の理念にもとづきながら、マルクスの資本主義否定を批判的に継承し、資本―ネーション―ステートの三位一体を批判しようとする。そうであるがゆえに、両者とも反近代的である。アーレントの反近代の問題についてはベンハビブが「アーレントはノスタルジアを持つ反近代主義者として、近代から政治の公共圏の衰退と、社会（the social）と呼ばれている、特徴もなく、ありあふれた、均一の現実の出現、を見る」と指摘した通りである。[99]

こうした共通点にも関わらず、アーレントと柄谷の間には両者を分かつ差異が存在する。これこそ検討に値しよう。

まず、柄谷とアーレントの大きな違いの一つは両者の依拠したカントの三大批判の違いである。柄谷は次のように述べている。

> あらためていえば、『判断力批判』が『純粋理性批判』や『実践理性批判』と異なるのは、そこに複数の主観があらわれることである。カントはここでは、意識一般や一般的主観のようなものを想定しない。複数の主観の間で、しかも「何かあるものを美と認めることを強要するような規則」のないところで、どのような合意が成立するかを論じているといってもよい。この点に注目したハンナ・アーレントは、『判断力批判』を政治学の原理として読もうとした（『カント政治哲学講義』）、また、リオタールは「メタ言語の設定なしでの諸言語ゲーム間の調停」を見ようとした（『熱狂』）。それは事実上ヒュームに回帰することであり、普遍性をたかだか「共通感覚」にすぎないと見なすことである。だが、カントに『純粋理性批判』から『判断力批判』への移行を見いだすことは正しくない。『純粋理性批判』はすでに文芸批評が与えた困難を踏まえて書かれているからだ。われわれがなすべきなのは、『純粋理性批判』をその観点から読み直すことである。[100]

アーレントの「判断力論」はカントの『判断力批判』の趣味判断論を政治的判断の理論として読み替える。カントの趣味批判において、美的判断が、主観的なものでありつつ普遍性を持つことができるというのがその趣旨だ。これを可能にするのは共通感覚である。ここにアーレント理論における複数性（plurality）の強調と関連するものがある。すなわち複数の個人の間にいながら自己を放棄することがないという複数性であり、主観的でありながら複数の他人と一致することである（これについてはハーバーマスの「コミュニケーションの倫理学」においても言及された[101]）。これはアーレントの共和主義的理念につながるものである。柄谷から見れば、それはカントの政治学を第三批判たる『判断力批判』に見出したことに由来し、理論的にはけっきょく『純粋理性批判』から一貫する物自体の政治学を理解できずに、せいぜい「共通感覚」という、柄谷からみれば限定的な共通性のレベルにおいてカント政治学の可能性を見たにすぎない。それは結局、物自体の評価を共通感覚に低下させた結果であると柄谷は批判した。

次に上と関連して、柄谷はアーレントとハーバーマスとのもう一つの違いは、カントにおける「普遍性」または「共通感覚」に対する理解の違いだと言う。これについて柄谷は次のように述べている。

アーレントはカントの『判断力批判』に公共的合意という政治的過程を見ようとした。しかし、カントは「共通感覚」に満足したのではない。それはたかだか地域的・歴史的なものである。趣味判断はあくまでそれ以上の「普通性」を要求するのだ。公共的合意（共通感覚）は、そのような普遍性（パブリック性）の要求を失うかぎり、たんに私的なものでしかなくなる。また、ハーバーマスは、カントの理性を対話的な理性（共同主観性）として組み替えようとした。しかし、カントが物自体をもってきたことの重大な意味がそれによって失われる。共同主観性はあくまで主観性であって、それを超えることではない。それは他者の他者性の排除に帰結する。そのことは具体的な局面においてはっきりするだろう。アーレントあるいはハーバーマスのような人たちが、「公共的合意」と呼んでいるのは、実際は、共同体、すなわち共通感覚をもった人々の間での合意にすぎない。だから、たとえば、ハーバーマスは、それは非西洋には妥当しない、などといったりもする。彼はコソボ空爆へのドイツの参加を「公共的合意」によるものとして支持した。しかし、それは国連の同意さえなく、たんにヨーロッパの中での合意にすぎない。ヨーロッパ共同体は、旧来の国民国家の枠を越えているとしても、それ自体、外に対しては、一つの巨大国家《スーパーステート》にすぎない。それがパブリックと見なされているのだ。（中略）私は、カントにおける他者が、合意などできないような未来あるいは過去の他者をふくむと指摘した。[102]

ここで柄谷は、ハーバーマスとアーレントとともに自分の思想もまたカントに依拠するが、その解釈と理論的な枠組みには大きな違いがあることを指摘している。すなわち、柄谷はカントの物自体を、つまり自己同一性に還元できない他者性を普遍的なものとしたのに対して、アーレントとハーバーマスは「共通感覚」を普遍的なものとして見た。柄谷はそのような共通感覚を、一定の時間空間を共有する共同体内部の人々に限られた「共同性」として退け、未来にも過去にも永遠に還元できない外部・他者としての「物自体」のみを普遍性として見た。そして「共通感覚」に基づく共同体が場合によっては暴力と共犯関係を持ちうることを見抜いた。

さらに、アーレントの政治哲学には、東アジアの歴史に対する分析が欠落している（そもそも無理もないことであるが）。例えば、柄谷も指摘しているとおり、アーレントは『全体主義の起源2帝国主義』において、帝国の原理を考察するにあたりローマ帝国しか考慮に入れていない[103]。アーレントは『革命について』においても、中国の革命について触れていない。柄谷の『世界史の構造』は、アーレントの政治哲学を補うことを意識しているかどうか定かではないが、客観的にはアーレントが論じることのできていないアジアの視点も取り入れたと言える。

柄谷はカントの精髄を「共通感覚」よりもそれを超え出ている普遍性にあると見ているので、共通感覚が共同体に止まることを批判した。たしかにカントの「共通感覚」は共和主義な政治哲学に発展しやすい側面がある[104]。アーレントとハーバーマスのカント解釈は、柄谷から見れば、カントの普遍性を狭くしたことになる。ハーバーマスはアーレントの「権力のコミュニケーション的な創出」の限界を批判する文脈において「共通確信がもつ権力によって飾られている幻想を、わたしたちはまさにイデオロギーと呼ぶ」と述べた[105]。そのイデオロギーとは例えば、民主主義的な合意に基づくナショナリズム（攻撃的なナショナリズムも含めて）であると理解することができれば、そして柄谷のアーレントとハーバーマスに対する批判の論理で理解するならば、ハーバーマスのアーレントに対するこの批判は彼自身にも適用されることにもなろう。

　ここであえて柄谷のアーレント、ハーバーマス批判に準じながら、同情と共通感覚と歴史認識の関係について見てみよう。戦後の日本の戦争反省のなかには侵略された国々の人民に対して深く同情するものが多い。しかし、近代のような国民国家の時代においてはこの「同情」は往々にしてネーション・ステートのような「同」、すなわち共同体の一員としてのアイデンティティが前提されていることが多い。そして同情は、別の共同体（にいる相手）が別の共同体（にいる自分）より弱いことを暗黙の前提としているので、その共同体が自分の強さ、自分の優位を脅かす（と想像すると）、この同情は直ちに弱くなり、ないし消えてしまいがちである。戦後の日本の歴史認識についていえば、日本における「中国脅威論」が、「同情」という道徳的な重みから解放される契機として機能しているのもこのためであろう。これは経済的に強くなってきた韓国に対しても適用されるものであろう。要は、「同情」とは歴史的社会的に形成され、そして歴史的社会的に変わってゆくものに他ならない以上、弱く不安定なものである。特に「関心」／interestはそれを大きく変えてゆくものである。

　他方、同情は、「情」に基づく以上、普遍的なものとも関わっている。少なくとも孟子はそう考えている。「惻隠《そくいん》の心、人皆これ有り」（惻隠《そくいん》の心すなわち他人の不幸をあわれみいたむ同情心を誰でもみな持っている[106]と孟子が述べ、また、「惻隠《そくいん》の心、人皆これ有り」のあとに「羞悪《しゅうお》の心は人皆これ有り」（羞悪の心すなわち悪を恥じにくむ正義感は誰でもみな持っている[107]）とも孟子は続けて言っている。恥を感じることは儒教の教えの核心にある。カント的に見るならば、このような正義感は、「定言命法」すなわち理性の自己立法の能力のことであろう。ここであえてカント的「定言命法」という用語を使っているが、中国哲学研究者のフランソワ・ジュリアンの解釈によれば、両者の違いは大きい。ジュリアンによれば、一方、井戸に落ちようとする子供を見て救おうとせずにいられない「忍びざる心」（惻隠《そくいん》の心）（『孟子』）は、反応＝反作用 réaction であって、他者から発せられ、わたしを内側から揺さぶる、情動（＝運動を起こすもの é-motion）横断的な現象である。言い換えれば、孟子において道徳は超越に訴えずに、形而上学的次元を措定しない。それに対して、カントは道徳律を説明するのに、経験から切り離して、再び宗教的伝統に訴え、神の命令を定言命法として世俗化しなければならない[108]。

いずれにせよ、ここで柄谷の問題意識を以上のように敷衍させることができると思われる。戦後日本の歴史認識が基づいている「同情」とは「人皆これ有り」というような普遍的な側面を有していると同時に、共同体のなかで具体的な歴史的政治的関係性のなかでのものである。柄谷的なカント解読によれば、後者の限界も明らかであろう。

第六節　もう一つの平和論としての近代東アジア帝国主義否定理論の系譜
――戦後思想・現代思想との間の断絶

ここで戦後のマルクス主義平和論、「現代思想」時代におけるカント的平和論との対比として、もう一つの平和論としての近代東アジア帝国主義否定理論の系譜を提示し、それを通して戦後思想・現代思想としての平和論との間の知的断絶・距離を提示して本章を終えたい。それは前近代思想が戦後日本の平和理論においてほとんど消えてしまったことを通して明治以来、戦後思想、とりわけ「現代思想」における知的西洋化の連続化と加速化を強調するためであると同時に、それの江戸時代、東アジア思想との間の断絶を強調するためである。

帝国主義論としては、明治の思想家・幸徳秋水（一八七一―一九一一）の『廿十世紀之怪物帝国主義』（一九〇一、以下『帝国主義』と略す）を忘れるわけにはいかない。秋水の『帝国主義』は、英国自由主義政治家ジョン・ロバートソン（一八一六―一八九二）の『愛国主義と帝国』（*Patriotism and Empire*, 1899）に示唆されながら、孟子の王道に基づく覇道批判の政治的倫理的思想をも導入して独特な分析を行なった[109]。よく指摘されているように、秋水の本書は一九〇二年に出版したホブソン（J. A. Hobson）の *Imperialism: A Study* より一年早く、レーニンの『資本主義の最高の段階としての帝国主義』より一五年も早い[110]。秋水は上の西洋の理論に示唆されながら孟子的倫理理想と政治思想を基盤に国家主義批判・帝国主義批判を成し遂げた。秋水がここで強調したのは、「帝国主義」、「軍国主義」と対立している孟子的王道である。「王道」については、『孟子・公孫丑上』において「力を以て仁を仮《か》る者は覇《は》たり。覇《は》は必ず大国を有《たも》つ〔を要す〕。徳を以て仁を行なう者は王たり。王は大を待《ま》たず」、とある通りである。[111] 革命を主張する孟子思想は日本の文脈において幕末以外はほとんど抑圧されてきた。[112] 秋水の立場は、自由民権運動の国権派と違い、孟子などに依拠しながらある種の普遍的価値を帝国主義時代において構築しようとするものである。この事実を見れば秋水の帝国主義批判理論は孟子思想の特殊な時期における斬新な展開である点において東アジアの貴重な財産と言っても過言ではなかろう。

この孟子的王道や、仁、徳などは、柄谷『世界史の構造』における用語で言い換えるならば、交換様式からみれば、まさに交換A、すなわち贈与に基づいているものである。

また、秋水とも交友関係のあった中国の思想家章炳麟《しょうへいりん》（一八六九－一九三六、号は太炎）は、一九〇七年九月二十二日に革命の海外基地の東京で、中国の革命者の劉師培や張継が主催し、秋水、大杉栄（一八八五－一九二三）などを含む日本の初期社会主義者も密接に関わっていた社会主義講習所で講演をした。[113] 章炳麟がこの講演をベースに書いた「国家論」という論文がある（辛亥革命の母体中国同盟会の機関誌である『民報』第十七號に掲載）。仏教思想をベースにした章炳麟の論文は国民国家批判論と帝国主義を理論的に批判するものである。

章炳麟はこの論文で「愛国の念は、強国の民には有ってはならず、弱国の民にはなければならない」と主張した。[114] また、「国家の自性（固有・不変の本体）は仮有《けう》（因縁により現象として仮に存在）

であって、実有《じつう》（真実に存在）ではない」、「要するに、個体は真であり、団体は幻である」、と述べている[115]。これは国家と帝国主義を仏教的に批判する文脈にある叙述であるが、この論文は国家否定の民族主義革命者の章炳麟の複雑な政治思想の一例である。この観点は、強い国民国家は帝国になるはずがなく必ず帝国主義になるという『全体主義の起原』の『帝国主義』の巻（一九五一）におけるアーレント・テーゼを思わせる。そもそも章炳麟のこのような観点が秋水著書とどのような関連にあるのかも興味深い問題である。

ここでもう一つの平和論としての近代東アジア帝国主義否定理論の系譜の提示で言いたいのは、この「戦前思想」と戦後思想・現代思想としての平和論との間の知的断絶である。この断絶はもちろん日本の前近代の歴史との断絶でもある。章炳麟の、荘子と仏教を総合させた政治思想はカントよりははるかに過激であることはいうまでもない。戦後日本以来、ポストモダン時代の現代思想に至るまで、日本知識人の思想資源として東アジア的思想が薄くなったということを以上で確認できよう。

〈注〉

（1）このあたりの事情については小熊英二『〈民主〉と〈愛国〉――戦後日本のナショナリズムと公共性』新曜社、二〇〇二、一六一頁。木下の言葉は小熊による、吉田『昭和天皇の終戦史』、一二一～一二二頁重引。

（2）小熊英二『〈民主〉と〈愛国〉』、一六九頁。

（3）カント『永遠平和のために』宇都宮芳明訳、岩波文庫、二〇一三、一三頁、一四頁、一六頁、一八頁、一九頁、二〇頁。
（4）カント、前掲書、二九頁、三九頁、四九頁。
（5）カント、前掲書、三五頁。
（6）Paul Guyer, "Nature, Morality and the Possibility of Peace" in Paul Guyer, *Kant on Freedom, Law and Happiness*, Cambridge University Press, 2000, pp.415-423.
（7）カント「啓蒙とは何か」『啓蒙とは何か・他四篇』篠田英雄訳、岩波文庫、二〇一三、七頁。
（8）カント同前、一〇頁。
（9）カント同前、一一頁。
（10）カント同前、一一頁。
（11）カント同前、一三頁。
（12）カント同前、一八頁。
（13）カント同前、一一頁。
（14）カント同前、一三頁。
（15）カント「世界公民的見地における一般史の構想」『啓蒙とは何か・他四篇』、四一頁。
（16）C・レヴィ=ストロース「人類学の創始者ルソー」山口昌男編『未開と文明』平凡社、一九六九。
（17）『美と崇高の感情に関する観察』（一七六四）についてのカントの覚書、坂部恵『カント』（講談社文庫、二〇〇一、一〇七頁より転引。
（18）坂部恵『カント』、一〇七頁。
（19）カント『永遠平和のために』「付録」、八〇頁。
（20）カント『道徳形而上学原論』篠田英雄訳、岩波文庫、二〇一一、六九～七〇頁

(21) カント同前、六九頁
(22) カント『永遠平和のために』「付録」、八四頁。
(23) カント『判断力批判』上巻、篠田英雄訳、岩波文庫、二〇〇二、二二一～二二二頁。
(24) カント同前、二二七頁。
(25) カント『道徳形而上学原論』、一三八頁、一四〇頁
(26) カント同前、一四二頁
(27) 柄谷行人『倫理21』平凡社ライブラリー、二〇〇七、一六頁。
(28) 柄谷行人同前、一六頁。
(29) 平田俊博「学校概念／世界概念」、廣松渉、子安宣邦、三島憲一、宮本久雄、佐々木力、野家啓一、末木文美士編『岩波・哲学・思想事典』、二四七頁
(30) 牧野英二『カントを読む――ポストモダニズム以後の批判哲学』、一一二～一一三頁。
(31) 牧野英二同前、一一三・一一五頁。
(32) K・レーヴィット『ヘーゲルからニーチェへI』柴田治三郎訳、岩波書店、一九六八、三九頁。
(33) カント『永遠平和のために』、二九頁。
(34) カント同前「付録」、八〇頁。
(35) 中国の「新儒家」と言われている、実際儒学を西洋的学との融合において再解釈しようとした現代の哲学者については、中島隆博『中国哲学史――諸子百家から朱子学、現代の新儒家まで』（中公新書、二八九～三〇五頁）。グローバル・ヒストリーの視点で中国哲学史をとらえる本書はその枠組みが画期的である。「新儒家」の視点から日本の京都学派哲学を見ようとした著書としては、朝倉友海『「東アジアに哲学はない」のか――京都学派と新儒家』（岩波書店、二〇一四）などを参照されたい。
(36) カント『永遠平和のために』「付録」、八一頁。

(37) 入江啓四郎『中国古典と国際法』、成文堂、一九六六、一頁。先秦の「礼」に関する系統的な研究は佐藤将之の中国語と英語の一連の研究が詳しい。「文」については、石井剛による近年の一連の研究、前掲中島隆博『中国哲学史』一六三〜一七四頁、および拙著『「修辞」という思想』を参照されたい。

(38) Pauline Kleneld, "Kant's Theory of Peace," in Paul Guyer eds., *The Cambridge Companion to Kant and Modern Philosophy*, Cambridge University Press, 2006, p.477.

(39) Ibid., p.496. ロールズについては John Rawls, *The Law of Peoples*, Cambridge, MA: Harvard University Press, 1999, pp.10, 19, 21,22, 36, 54. 日本語訳＝ロールズ『万民の法』中山竜一訳、岩波書店、二〇〇六。

(40) 浜田義文『カント哲学の諸相』法政大学出版会、一九九四、二二七〜二二八頁。

(41) 中江兆民『三酔人経綸問答』岩波文庫、二〇一四、五〇〜五四頁。

(42) 浜田義文前掲書、二二八頁。

(43) 加藤節『南原繁――近代日本と知識人』岩波新書、一九九七年、一一一頁。

(44) 加藤節同前、一二一頁。

(45) 八木鉄男「平和主義憲法と恒藤恭」、田畑忍編『近現代日本の平和思想』ミネルヴァ書房、一九九三年、一九一頁。

(46) 南原繁「制定過程 その一」（昭和二十一年八月二十七日、第九十帝国議会貴族院本会議における憲法改正案に関する著者の質問演説）「制定過程 その二」（昭和二十一年九月四日及び五日、貴族院憲法改正案特別委員会における著者の質問とこれに対する応答）「第九条の問題」（昭和三十七年一月十三日「憲法研究会」での報告）、『南原繁著作集　第九巻　日本の理想』岩波書店、一九七三）所収

(47) 「制定過程 その一」、『南原繁著作集　第九巻』、一四頁。

(48) 小熊英二『〈民主〉と〈愛国〉』、一六九頁。

(49) 小熊英二同前、一六五頁、一六七頁。

(50) 小熊英二同前、一六〇～一六一頁。
(51) 梅原猛他著『憲法九条は私たちの安全保障です』岩波ブックレット、二〇一五（本のカヴァーより）。
(52) 山室信一『憲法九条の思想水脈』朝日新聞出版、二〇〇七、七三～八六頁。山室は「思想課題としてのアジア」を提唱したものでもある。山室『思想課題としてのアジア』岩波書店、二〇〇一年。
(53) 小熊英二『〈民主〉と〈愛国〉』、一六〇頁。
(54) 小熊英二同前、一六五頁。
(55) 浜田義文前掲書、二二八頁。
(56) 論文は日本カント協会編『日本カント研究』十五号、二〇一四年七月、所収。
(57) 杉田孝夫「カントと日本国憲法をつなぐ」（日本カント協会編『日本のカント研究』十五号、知泉書院、二〇一四年七月、二三頁。
(58) 牧野英二「世界市民主義とポストコロニアル理性批判」『〈持続可能性の哲学〉への道――ポストコロニアル理性批判と生の地平』法政大学出版会、二〇一三、所収（一三四～一六一頁）。
(59) 牧野英二のカント研究と東アジアとの関連については次の一連の氏の著書・編著から見られている。上で言及した著書のほかに編著『東アジアのカント哲学――日韓中台における影響作用史』（牧野英二編、法政大学出版局、二〇一五）、ワンアジア財団編『アジア共同体へ向かって――教育を通じた平和』（芦書房、二〇一八）、がある。
(60) 例えば、渋谷治美「カントと愛国心批判」、加藤泰史「カントと愛国心――パトリオティズムとコスモポリタニズムの間」などがそうである。日本カント研究会編『カントと心の哲学』理想社、二〇〇七。同書所収の新川信洋「確定条項のアナロジー構造――カント平和論における「大陸」の位置」も似たような関心による。
(61) Jeff Noonan, "Review of Karatani Kojin, Transcritique: On Kant and Marx," *Historical Materialism*, Vol. 14:2 (203-214). Noonan はマルクス主義の立場から、柄谷におけるカントからマルクスを読む枠組みを批判した。

(62) Tom Rockmore, *Marx After Marxism: The Philosophy of Karl Marx* (Oxford: Blackwell Publishing, 2002), p.xvi.
(63) Howard Caygill, *A Kant Dictionary*, (Oxford, UK : Cambridge, Mass., USA : Blackwell Publishing, 1995), P.226.
(64) Tom Rockmore, *Marx After Marxism: The Philosophy of Karl Marx*, p.25.
(65) 柄谷行人「カント再読」(『哲学』月報、岩波書店、柄谷行人公式ウェブサイト www.kojinkaratani.com より。これはトム・ロックモア『カントの航跡のなかで——二十世紀の哲学』に対する柄谷の書評である。
(66) 同前。
(67) 同前。
(68) 柄谷行人『倫理21』、二〇〇頁。
(69) 柄谷行人『政治と思想１９６０－２０１１』、六九頁。
(70) ハンナ・アーレントは次のように述べている。「「革命」は、神の言葉が教会の伝統的な権威から解放されるとき世界を震撼させるのである」(アーレント『革命について』志水速雄訳、ちくま学芸文庫、二〇〇五、三六頁)。また、「歴史過程が直線的に発展していると考えられている以上、われわれの歴史概念の起源は全体としてキリスト教にあるとしばしば主張されている。(中略)アウグスチヌスが定式しているように、キリスト教の歴史が新しい始まりを考えることができるのは、彼岸の出来事が世俗的歴史の正常な過程に割って入り、それを妨げるというかたちにおいてのみである」。(Hanna Arendt, *On Revolution*, Penguin Books, 2006, p.17. 日本語訳＝アーレント『革命について』ちくま学芸文庫、三四頁)。
(71) J＝M・ドムナック編『構造主義とは何か——そのイデオロギーと方法』(Jean-Marie Domenach ed., *Structuralismes: Idéologie et Méthode*, Esprit, 1963)、伊東守男、谷亀利一訳、平凡社ライブラリー、二〇〇四、一三一頁。
(72) Michael Wayne, *Red Kant: Aesthetics, Marxism and the Third Critique* (London: Bloomsbury, 2014).
(73) 一九八九年におけるマルクス主義衰退以前にもカントとマルクスをある種の連続性において読もうとする著書がある。カント研究者でもない筆者の限られた知識では次のものがある。フォアレンダー『カントとマルクス』井原紀訳、岩波文庫、一九三七（Karl Vorländer, *Kant und Marx: ein Beitrag zur Philosophie des Sozialismus*, Tübingen: J.C.B. Mohr , 1911）、Lucio Colletti, *Marxism and Hegel, translated from the Italian by Lawrence Garner*, (London: NLB, 1973; London: Verso, 1979)（イタリア語初出は一九六九年）、A・ゾーン＝レーテル『精神労働と肉体労働――社会的総合理論』寺田光雄、水田洋訳、合同出版、一九七五（Alfred Sohn-Rethel, *Geistige und Körperliche Arbeit: Zur Theorie der gesellschaftlichen Synthesis*, Frankfurt am Main : Suhrkamp, 1970）、が挙げられる。そのなかでルチオ・コレッティ（Lucio Colletti）の先の著書は、マルクスを共にヘーゲルとカントの影響を受けた存在として見た。マルクスはカントから現実の存在が概念での一切より重要であり、現実の過程が論理の過程に簡約されることができないことを示唆されたと指摘した（Ibid., p.122）。コレッティによれば、マルクスこそカントを使って次の二点においてヘーゲルを変えたと論じた。一つはヘーゲルにおいて事物を否定することを通して観念論を神聖化した物質の弁証法（dialectic of matter）、及びに、ヘーゲルにおいて人類の自然存在を無効にした、現実における発展を論理の発展とを同一化させること、という二点においてである。（Journal of Politics）。換言すれば、マルクスはヘーゲルに反してマルクスは現実の過程が論理的過程と並立すること（side by side）を堅持した（Lucio Colletti, Ibid., p.121）。

（74）エルンスト・ブロッホ『希望の原理』（三巻本）、山下肇ほか訳、白水社、一九八八。

（75）マルクス／エンゲルス『ドイツ・イデオロギー』、廣松渉編訳、小林昌人補訳、岩波文庫、二〇〇二、七一頁。
〝〈 〉〟は手稿で抹消されている部分である。強調はマルクスによる。

（76）小林敏明『柄谷行人論――「他者」のゆくえ』筑摩書房、二〇一五、二七一～二七八頁。

（77）カント「啓蒙とは何か」『啓蒙とは何か・他四篇』、八頁。

（78）カント同前、九頁。

（79）Slavoj žižek, "The Parllax View," *New Leftist Review*, 25 (Jan Feb 2004) 121-134.

（80）Howard Caygill, *A Kant Dictionary*, p.341.

（81）Howard Caygill, *A Kant Dictionary*, p.341.

（82）アーレントはこのように述べている。「趣味、すなわち世界の事物を絶えず気遣う判断力は、美そのものへのたんなる無差別で過度の愛好に対しては限界を設ける。つまり趣味は、制作や質の領域に人格的な要因を導き入れ、この領域に人間的《ヒューマニスティック》な意味を与えるのである。趣味は、美的なものに圧倒されずに美的なものの世界を野蛮から救い出す。趣味は、固有の「人格的な」仕方で美的なものを気遣い、そうすることによって「文化」を生み出すのである。」。ハンナ・アーレント「文化の危機」『過去と未来の間――政治思想への８試論』引田隆也、齋藤純一訳、みすず書房、一九九四、三〇三頁。

（83）Seyla Benhabib, *The Reluctant Modernism of Hanna Arendt* (Lanham, Boulders, New York, Toronto, Oxford: Rowman & Littlefeld Publishing, Inc. 2000), p.x. Benhabib によれば、アーレントのよく知られているカテゴリーである「世界」、「行為」（action）、「複数性」（plurality）はハイデガーの示唆によるものであると指摘した（p.x.）

（84）Ronald Beiner "Preface" in Hannah Arendt, *Lectures on Kant's Political Philosophy*, edited and with an interpretive essay by Ronald Beiner, (Chicago : The University of Chicago Press, 1982), pp.vii-viii.

（85）Hannah Arendt, *Lectures on Kant's Political Philosophy*, edited and with an interpretive Essay by Ronald Beiner, (Chicago: The University of Chicago Press,1992). 日本語訳＝『カント政治哲学の講義』浜田義文監訳、伊藤宏一・多田茂・岩尾真知子訳、法政大学出版局、二〇〇五。

（86）Hanna Ardent, *The Life of the Mind*, (San Diego, New York, London: Harcourt Brace & Company, 1981), p.130. アーレント『精神の生活』（第一部『思考』、第二部『意志』）佐藤和夫訳、岩波書店、一九九四。

（87）Michael J. Sandel, *Liberalism and the Limits of Justice* (Cambridge: Cambridge University Press, 1982). M・J・サンデル『リベラリズムと正義の限界』菊池理夫訳、勁草書房、二〇〇九。

（88）高田純はドイツとアメリカのカント哲学の政治学への応用の違いについて次のように指摘した。「ドイツでの実践哲学の復権は近代におけるその源流をカントに求めるが、アメリカの政治哲学では必ずしも明確ではない。例えば、ロールズはカント哲学を参照するが、彼が念頭に置いているのは目的自体としての人格における人間性の尊重についてのカントの説であって、カントの社会契約論ではない。またドイツで、カントの政治哲学について論じた先駆者のアーレントの『判断力批判』における反省的判断力を政治に適用しようとするが、カントの国家論そのものにはあまり言及しない。ハーバマスは格率の普遍化についてのカントの理論をコミュニケーション関係において捉え直し、これを法制定の正当化の根拠に据えようとするが、カントの国家論をどこまで生かしているかには疑問が残る」と。高田純「カント政治哲学の地平――ルソー国家論との比較」『日本カント研究』第14号、日本カント協会編、知泉書院、二〇一三、八～九頁。

(89) 例えば、Hannah Arendt, *Lectures on Kant's Political Philosophy*, edited and with an interpretive Essay by Ronald Beiner, The University of Chicago Press,1992. 日本語訳＝前掲『カント政治哲学の講義』。

(90) ibid., p.40, p43（アーレント『カント政治哲学の講義』、五六頁、六一頁）。

(91) ハーバーマスのアーレント批判については、ハーバーマス「アーレントの権力概念」『哲学的・政治的プロフィール』上巻所収、小牧治・村上隆夫訳、未來社、一九八四、三三七頁、三四一頁。

(92) ハーバーマス同前、三四三頁。

(93) ハーバーマス同前、三四一頁。

(94) ハンナ・アーレント『カール・マルクスと西欧政治思想の伝統』(Hannah Arendt, *Karl Marx and the Tradition of Western Political Thought*, 1953)、佐藤和夫訳編、アーレント研究会訳、大月書店、二〇〇二、八～一〇頁。

(95) Hannah Arendt, *The Human Condition*, The Chicago University Press, 1958, pp.29-30. 日本語訳＝アーレント『人間の条件』志水速雄訳、ちくま学芸文庫、二〇〇七、五〇～五一頁。

(96) アーレント『人間の条件』(第三章)、一三三～二二一頁、同『カール・マルクスと西欧政治思想の伝統』、五～二二頁。

(97) 柄谷のこのような態度はマルクス主義者からも批判を受けた。例えば、Elena Louisa Lange, "Exchanging without

exploiting: A critique of Karatani Kōjin's *The Structure of World History*," *Historical Materialism*, 23.3 (2015) 171-200; 柄谷がマルクスをアナキストとして読むことを疑問視した論も見られている。例えば、Kanishka Goonewardena, Reecia Orzeck "X marks the spot: Marxist intercourse and Kantian anarchism in Kojin Karatani," *Dialogues in Human Geography*, 2.1(2012), pp.64-70. 柄谷の議論に同調する議論としては、Joel Wainwright,"What if Marx was an anarchist?" *Dialogues in Human Geography*, 2017, Vol. 7(3) 257-262, などがある。

(98) Hannah Arendt, *On Revolution*, p.9. 日本語訳＝『革命について』ちくま学芸文庫。

(99) Seyla Benhabib, *The Reluctant Modernism of Hanna Ardent*, pp.22-23.

(100) 柄谷行人『トランスクリティーク――カントとマルクス』岩波現代文庫、二〇一五、六五～六六頁。

(101) ハーバーマス『哲学的政治的プロフィール』下、二二九頁。上巻三四九～三五〇頁

(102) 柄谷行人『トランスクリティーク』、四六〇頁（注）。

(103) 柄谷行人「〈世界史の構造〉のなかの中国」『ａｔプラス』（特集「帝国としての中国」）第11号（二〇一二年二月）、太田出版、四一頁。

(104) Howard Caygill は第三批判において初めてポジティブな「共通感覚」が登場し、「カントは文芸復興時期の人文主義的解釈にある共通感覚を共和主義的な美徳の一形式として復活した」と指摘した。Howard Caygill, *A Kant Dictionary*, p.115.

(105) ハーバーマスのアーレント批判、「アーレントの権力概念」『哲学的・政治的プロフィール』上巻、三四八～三四九頁。

(106) 訳文は、『孟子』下巻、小林勝人訳、岩波文庫、二〇〇七、二三五頁。

(107) 同前。

(108) フランソワ・ジュリアンの観点についての整理は翻訳者代表である中島隆博「解説」に依拠した。たいへん明快であると同時に、中国思想研究者の立場を反映した批判的な解説でもある。フランソワ・ジュリアン『道

徳を基礎づける――孟子VS.カント、ルソー、ニーチェ』中島隆博・志野好伸訳、講談社現代新書、二八三〜三〇六頁（「解説」）（講談社学術文庫（二〇一七）の一冊に収録）。

(109) 秋水の帝国主義批判と孟子との関係については、井出和起「幸徳秋水『廿世紀之怪物帝国主義』」（『京都大学人文学報』第二十七号）、及び、大原慧「儒教倫理と非戦論」（『幸徳秋水と大逆事件』青木書店、一九七七、七〇〜九一頁）などが詳しい。

(110) 例えば、Robert Tierney, "Kōtoku Shūsui: From the Critique of Patriotism to Heiminsim",『初期社会主義研究』第25期，初期社会主義研究会，二〇一四、三七頁。

(111) 小林勝人訳注『孟子』上、岩波文庫、二〇〇七、一三二頁。

(112) この問題について野口武彦『王道と革命の間――日本思想と孟子問題』（筑摩書房、一九八六）を参照されたい。

(113) 章炳麟と幸徳秋水を初めとする日本初期社会主義者との関係については、拙稿「章炳麟の「自主」に基づくアジアの連帯思想――日本の初期社会主義運動、日英同盟、印度独立運動との関連」（岩崎稔・成田龍一・島村輝編『アジアの戦争と記憶――二〇世紀の歴史と文学』勉誠出版、二〇一八、一一四〜一四六頁）、または拙著『鼎革以文：清季革命與章太炎「復古」的新文化運動』上海人民出版社、二〇一八、二四三〜二五八頁を参照されたい。

(114) 西順蔵、近藤邦康編訳『章炳麟集――清末の民族革命思想』岩波文庫、二〇〇四、三四〇頁。

(115) 同前、三二四頁、三二五頁。

第五章　コジェーヴの「ポストヒストリー」と日本のポストモダン思想

第一節　コジェーヴとポストモダン哲学と「歴史の終わり」

ロシア出身のフランスの哲学者アレクサンドル・コジェーヴ（一九〇二－一九六八）の著書『ヘーゲル読解入門――『精神現象学』を読む』（一九四七年初版、一九六二年第二版）が日本で紹介されたのは一九八七年であり、それは偶然ながら、「ニューアカ」とも呼ばれたポストモダン言説が日本で熱く消費されて絶頂となっている時期でもあった。

コジェーヴは、一九三三から一九三九までパリ高等研究院でヘーゲルの『精神現象学』について講義していたが、この講義には戦後フランス思想界を代表する知識人、例えば、バタイユ（一八九七－一九六二）、ラカン（一九〇一－一九八一）、メルロ＝ポンティ（一九〇八－一九六一）、ヴェーユ（一九〇九－一九四三）、ギュルヴィッチ（一八九四－一九六五）などが出席していた。[1] しかし、日本語版の翻訳者の一人である上妻精（一九三〇－一九九七）の解説から判断する限り、翻訳者のコジェーヴへの関心は現代思想の流行とはあまり関係がない。上妻は訳者解説で、本書は、マルクスと実存主義を架橋したものであるとしている。[2] このことからみれば、日本での本書の翻訳は日本における「マルクス主義か、実存主義か」問題を念頭に置いて企画されたと理解できる。しかし他方、西欧思想、特にフランスとドイツ思想を情熱的に翻訳してきた伝統を有している近代日本にとっては、本書の翻訳は時機的にやや遅かったと言わざるを得ない。

コジェーヴはハイデガーに強く影響された哲学者であり、その『ヘーゲル読解入門』は『存在と時間』の最良の解説書とも見なされているほどである。[3] コジェーヴはハイデガーの「現存在」（Dasein）概念における時間性を頼りに自分のヘーゲル解釈を補強した。[4] コジェーヴから見れば、青年ヘーゲルも青年マルクスも存在を時間として、すなわち人間存在を歴史性から見る点において似ており、その点でハイデガーにも似ているのである。[5]

このような理論的枠組みにおいて、コジェーヴのヘーゲル解釈は、人間の歴史を、欲望（Desire）の歴史として見ており、そして欲望を満足させる行動（action）からなる歴史として見た。[6] すなわち欲望が自己意識を引きこし、自己意識としての存在となるわけである。[7] コジェーヴの解釈したヘーゲルによれば、人間の歴史は承認を得るという欲望のために闘争する歴史である。それは社会性においてマルクスと重なるが、マルクスの経済的視点とも階級闘争の概念とも明らかに異なる。

面白いことに日本におけるコジェーヴへの注目は直接ポストモダン思想に対する情熱的な関心

によってではなく、ある程度まで、アメリカの政治学者フランシス・フクヤマの著書『歴史の終わり』（*The End of History and the Last Man*, 1992）によって引き起こされた。フクヤマの著書は雑誌『国益』（*National Interest*）（一九八九、夏号）に発表された同タイトルの論文を発展させたものである。一九八九年はソ連をリーダーとする自称「社会主義」陣営の解体と、中国では学生運動を弾圧した天安門事件があった年である。フクヤマの論文は、のちに彼の師匠でもある、アメリカの政治学者サミュエル・ハンティントンの「文明の衝突」（Clash of Civilization）という論文（一九九三）とともに、合衆国から発せられた二つの政治思想として、世界に大きな反響を引き起こした。[8] 二書の内容は異なり著者の政治的スタンスも若干異なるが、アメリカ国内では、フクヤマはジョージ・ブッシュ大統領政権のブレーンの一人でもあったので、新保守主義（いわゆる「ネオ・コン」）の重要なリソースと目された（後年にフクヤマはネオ・コンと距離を置くようになり、二〇〇六年に *After the Neocons: America at the crossroads*〔日本語訳＝『アメリカの終わり』〕で実質的に自分のスタンスを修正した[9]）。

フランシス・フクヤマは『歴史の終わりと最後の人間』において、彼の理解した「コジェーヴ」（または「ヘーゲル」）によれば、歴史とは、人間の間（すなわちある人間の自己意識と他者の自己意識との間）にはイデオロギー的対立があり、その弁証法的な発展があるが、現在、対立が終った以上、歴史も終ったと見るべきだとする。そこで、フクヤマは楽観的に西の陣営が勝利し人間はいま歴史の終りを迎えた、として次のように言う。

アレクサンドル・コジェーヴの解釈によれば、ヘーゲルはわれわれにある代わり（alternative）の「メカニズム」を提供した。それは承認を得るための闘争をベースに歴史を理解するためのメカニズムである。われわれの歴史を経済的に解釈することを捨てる必要がないが、承認を得ること（recognition）は、人間の意欲（motivation）を理解するのにマルクスのヴァージョンよりもっと豊富である非唯物論的弁証法である[10]

フクヤマが特に激賞しているのは、歴史に終りがあり、ポスト・ヒストリーの後においては人間が消え、行動も消え、戦争も血に満ちた革命も消えるので、人間が再度動物化し、人間は自然と所与（the given being）とともに安らかに過ごすこととなる、というコジェーヴの観点である[11]。コジェーヴは、『ヘーゲル読解入門』の長い注でポスト・ヒストリーにおいて人間が再び動物に戻り、歴史が終わった模範として挙げているのは、最初は一九四八年から一九五八年にかけて彼が見たアメリカの人々であり、アメリカに「人間の動物化」の典型を見出した。その後の一九五九年に彼は日本に来て、江戸日本から続いて来た、「歴史の終わり」にある日本人のスノビズムを発見し、日本こそポスト・ヒストリーの人間の社会だとした[12]。フクヤマはこれを激賞して引用した[13]。フクヤマの議論は、ほかならずコジェーヴが「歴史の終り」における「動物化」のパターンをアメリカに、そしてポスト・ヒストリーの社会を日本に見たという議論から由来したものである。

このフクヤマの主張は国際的に議論を喚起した。ヨーロッパにおいては、例えば、一九九三年にフランスの哲学者ジャック・デリダ（一九三〇－二〇〇四）が長い論文でフクヤマ論文を批判した（のちに『マルクスの亡霊たち』所収）。デリダの長文のフクヤマ批判を収めた『マルクスの亡霊たち』の日本語訳者である増田一夫は同書の解説においてフランス知識人における「マルクスか実存主義か」という二項対立、またはマルクス退潮に対するデリダの憂いとの関連について次のように述べた。

J・P・サルトルが、「マルクス主義は現代の乗り越え不可能な地平である」と断言したのは、一九六〇年のことであった。（中略）その後まもなく、「実存主義」対「構造主義」、「マルクス主義」対「構造主義」という対決が随所で起こることになる。そこに台頭してくるのは、雑誌『テルケル』を中心に集まった人々であった。（中略）その探求を一言で要約すれば、マルクス主義と構造主義を融合して人文科学における前衛知識人の前線を形成し、文学の領野を革命的戦略が実践されるべき場と変えてゆくということになるだろう。（中略）『テルケル』は、一九六〇年代後半にフランス共産党に近づいた後、次第に毛沢東主義へと傾斜してゆき、デリダは一九七二年に、教条主義になりすぎたその雑誌と袂を分かっている。（中略）マルクス主義が対象化され、脱構築のメスによってそこから形而上学的要素が抉り出される、一種の「乗り越え」を意味する。その場合世界を分析し、変革し、人々を正しい方向に教導する思想の絶対性は大きな傷を受けることになる。(14)

上で増田一夫はデリダの『マルクスの亡霊たち』を、マルクス主義を乗り越えることに対する相対化として解説した。デリダは、フクヤマの本について、「歴史の終わりとしてのマルクス主義の死に関する、最も騒々がしい、最もメディア化された、最も成功した新たな福音書ではないだろうか」と述べ、「資本主義の最も見事なイデオロギー的ショーウインドーとして陳列されている」と皮肉った。⑮

第二節　「歴史の終わり」と日本の九〇年代——日本ポストモダン思想の置かれた文脈

フクヤマの言説は日本においても大きな反響を呼んだ。

まず、保守側の反応として代表的なのは、保守論客の渡部昇一（一九三〇―二〇一七）である。フクヤマの英語単行本が渡部昇一によって翻訳、同じ年の一九九二において出版された。渡部昇一の訳者解説は、「これからの日本人にきわめて貴重な〈指導原理〉を与えてくれる歴史的名著」、という長いタイトルからも伺えるように、興奮の隠せない反応である。何が渡部昇一をそこまで興奮させたのか。

渡部昇一は解説において次のように述べている。

フクヤマ氏は今後のことを考えるとき、世界の歴史は日本が鍵をにぎっているというヒントを呈している。リベラルな民主主義は、そこに住んでいる人たちにもっとも大きい相互平等願望を与え、しかもそこではいちばん生命が安全であり、いちばん財産獲得に便利がいいという制度であるから、ついに共産主義社会にも打ち勝ったということなのである。ところで現実の問題として、日本を中心とする現在の東アジアの諸国は、明らかに財産獲得という重要な面において南北アメリカよりも優れてきている。これは数字でも明らかであって争う余地はない。そこでフクヤマは、日本をはじめとする東アジア経済圏を、権威主義的な経済としており、これはリベラルな民主主義経済よりもほんとうは歴史の前の段階であると考えているように見える。もしこの傾向が続くならば、歴史は終わらずに始まるわけである。(16)

渡部昇一はそのまま「リベラルな民主主義」VS.「共産主義」という冷戦的枠組みにおいてフクヤマ論文を前者の勝利として受け止めているだけではない。むしろ渡部は、それに加えて、日本（或いは日本をリーダーシップとする東アジア）＝西洋の「近代の超克」というチャンスの再来としても見ているのである。

つまり、渡部は、「歴史」の「終わり」から、「日本」の世界史における「始まり」を再発見したわけである。この「日本」の世界史における「始まり」とは、バブル時代における、日本のリーダーシップによる、東南アジアを含む東洋の西洋に対する「始まり」でもある、と渡部は見ている。

このことは、一九四二年の座談会『世界史的立場と日本』と、太平洋戦争開戦後、一九四二年七月の「近代の超克」シンポジウムのテーマを、新しい文脈において再度変奏している、という奇妙なことが起こったわけである。

保守側の反応と対照的なのは、フクヤマ論文に対する日本の知識人たちによる一連の批判であった。[17]そのなかにはフクヤマのヘーゲル理解の「粗雑さ」に対するアカデミズム（例えばヘーゲル研究者）の批判もあれば、政治的思想的スタンスからフクヤマ論文の問題性を批判する者もいた。前者の例としては、例えば、ヘーゲル研究者の加藤尚武（一九三七－）は一九九〇年に刊行した本において次のように批判している。

「歴史の終焉」というお題目に何らかの意味があるとすれば、それは「超越論的歴史」、つまり「起原」と「テロス」に枠取られた特殊ヨーロッパ的な歴史哲学の終焉という意味においてだけだ、ということである。あるいはそれを「歴史の目的論」の衰亡と言い換えることもできる。だとすれば、それは現在の世界情勢やヨーロッパの未来像と直接結びつくような都合のよい話ではない。それゆえ、それら両者を短絡させたコジェーブやその後塵を拝するフクヤマの議論は、良く言えば文明批評、悪く言えば床屋政談の次元に属する話にすぎない。むしろ「超越論的歴史」の終焉は、「歴史の始元」や「歴史の終焉」を大仰に説くような言説、すなわちヘーゲル＝コジェーブ＝フクヤマ的言説の終焉をこそ宣告しているのである。[18]

コジェーヴが日本の現代思想に与えた直接な影響は限られたものであるのでそれを強調しすぎるわけにはいかない。一九九〇年代のはじめごろにおいて、コジェーヴが期待もしていなかった弟子のフクヤマが日本の知識人に批判されることによってコジェーヴへの注目を間接的に日本にもたらしたといえる。

二〇〇一年当時、若い世代に属する批評家の東浩紀（一九七一－）による『動物化するポストモダン――オタクから見た日本社会』（講談社現代新書）の続編『ゲーム的リアリズムの誕生　動物化するポストモダン2』（同前）がベストセラーになった。それまでに一九八九年のフクヤマ著書に登場するコジェーヴの言説により、日本、ないし江戸日本は典型的なポストモダン社会であるという言説が流布されていた。しかし、九〇年代の初め頃に批判的な「現代思想」が登場し、経済的にはバブルも消えるにつれて、フクヤマが日本の読者の間に引き起こしたコジェーヴへの注目も次第に忘れられた。東浩紀の本は日本の読者に改めてコジェーヴの存在を思い出させた。

前述した通り、実際当時日本の「ポストモダニスト」がコジェーヴを好んで参照したわけではない。日本の知識人はむしろ批判したほうである。それに対して東が現代日本のサブカルチャーを分析するキーワードである「動物化」は明らかにコジェーヴに負うものである。東は、「日本社会の中核にはスノビズムがあり、今後はその精神が文化的な世界を支配していくだろうというその直観は、いまから振り返ると恐ろしく的確だったとも言える」と、コジェーヴの見解に敬服している。(19)
英訳者の Abel Jonathan と河野至恩の指摘のように、東からみれば、オタク型の生産様式と消費主義においてこそコジェーヴのいうポスト・ヒストリーの動物性が完成するものである。[20]

ただ東は七〇年代の末から八〇年代にかけての流行りのポストモダンの言説とは違って、江戸日本とポストモダン社会とを同一化させる言説に対しては批判的である。またオタク系文化が「アメリカ産の材料でふたたび疑似的な日本を作り上げようとする複雑な欲望」に対しても距離がある。[21]

他方、東浩紀は忠実にコジェーヴのポスト・ヒストリーの哲学に依拠しながら日本の若い世代のサブ・カルチャーを分析した。この意味において東浩紀は日本の消費主義とオタク文化の文脈において――フクヤマの言説と関係のない形で――コジェーヴの影響を再来させる批評家となる。もう一つの特徴としては、一九九〇年代以来における日本の批判的な「現代思想」の主張者にある、日本の保守化傾向から歴史性を守ろうとする関心は東の著書には見られない。フクヤマの用語を借りるならば、そこから見えるのは、ほかならず東の「ヘーゲル―コジェーヴ」へのポストモダン的回帰である。いずれにせよ、東の日本のサブカルチャーに対する示唆的な分析と彼のポストモダン哲学をめぐる仕事は疑いもなく日本の文脈にある別のタイプのポストモダン言説のパターンを示している。

第三節　「ポストヒストリー」とヘーゲル主義とマルクス主義の問題
――柄谷行人のポストモダン＝ポストヒストリーに対する批判

日本の文脈にあるコジェーヴ／フクヤマの言説についての柄谷行人の批判は、日本文脈にあるポ

ストモダン的言説を念頭に、ポストモダン／フクヤマのポスト・ヒストリーに対する彼の批判でもある。(22)

竹内芳郎（一九二四－二〇一六）や、アメリカの日本思想史研究者ハルトゥニアン（H. D. Harootunian）は八〇年代の経済の好調を背景にした大平内閣の「文化時代」の国策や、文化的保守主義の傾向、日本ポストモダン的言説を「第二次近代の超克」と呼んだほどである。(23) 日本がその「独特な文化」をもって「近代」＝西洋を乗り越え、すでにポストモダンの時代に入った、というような雰囲気が当時の日本にはあふれていた。柄谷のフクヤマ批判の矛先はこのような言説にも向けられている。それも、前に述べた通り、部分的にはフクヤマの言説に対する渡部昇一のようないささか興奮気味の「援引」があったからである。

柄谷は同時に、フランスのポストモダンの理論家にその矛先を向けた。J・F・リオタール（一九二四－一九九八）や、ボードリヤール（一九二九－二〇〇七）などのポストモダン理論家そのものに対しても批判したのである。リオタールは、「モダニズム」をある目的（終り）を目指す運動であり、それを「大きな物語」と呼んだ。そして、そのような「大きな物語」の終焉としてポストモダニズムと定義した。それに対して柄谷は岩井克人との対談において、「モダニズム」を「物語」というよりは「資本主義のもつ時間性」であると捉えるべきであり、リオタールの持論とは違って、モダニズムも進歩主義も、「資本主義が強いている時間性の中での、人間側の表象」である。(24) すなわち、モダニズムとは、幻想では決してなく、経済的次元を根幹部に持っている資本主義の付き物である。そのような意味においても資本主義は完全に終るはずがないと柄谷は見た。すなわち、リオタールの理論自体も「始まり」と「終わり」も持つような言説の枠組み内に嵌っていることを自覚できていないことを柄谷は批判した。柄谷行人はモダニズムの終焉と見えたものは、たんに高度テクノロジーを機軸とする資本主義の新たな段階の始まりにすぎないと見て、リオタールの「ポストモダニズム」の定義をも退けた[25]。

同時に、柄谷は、リオタールの「モダニズムの終焉」に似た言説をボードリヤールの「消費社会」言説にも見出した。柄谷よれば、ボードリヤールは、消費社会の到来はこれまでの西洋を支配してきた生産中心主義の形而上学（ことマルクス主義）が終ったということを意味し、これによって、彼はマルクスを否定しえたつもりである。しかし、柄谷からみれば、終わったのは資本主義の重工業的段階の生産にすぎず、現実には資本主義はハイテクのような別の生産形態にシフトしただけである。したがってボードリヤールの言っている「消費社会の到来」というのは事実ではないと退けた[26]。

柄谷がここで気にしているのは、先に引用したデリダ『マルクスの亡霊』の日本語訳者である増田一夫の解説にある、フランス現代思想におけるマルクスを乗り越えようとする、マルクスの「終わり」の思想的雰囲気でもある。その雰囲気はフランス思想の強い影響下にある日本も同じである。柄谷から見れば、リオタールもボードリヤールもその典型である。フクヤマに対する柄谷の批判は柄谷におけるヘーゲル主義批判と、ひいては正統派マルクス主義批判によるマルクス主義再構築とも関わっている。この問題意識は、一九七四年の『群像』で連載されたマルクス論（『マルクス、その可能性の中心』）は一九七〇年代初期に新左翼が崩壊し、「マルクスはだめだ」と言われたことに対する拮抗なのである、と表明したことからも窺い知れる[27]。また、二〇一〇年の主著『トランスクリティーク』もその後の『世界史の構造』もそのような性格の著書である。例えば、柄谷は、自分の『世界史の構造』をマルクスが唯物論的にヘーゲルを批判したことの不足に対する補足であると見ながら、本書をフランシス・フクヤマの「歴史の終わり」におけるヘーゲル論とその反響に対する批判の著書だと回顧した通りである[28]。

柄谷のこれらの著書は同時に正統派マルクス主義に対する批判でもある。その中に不可欠なのは、ヘーゲル主義的目的論に対する批判である。

柄谷によれば、「ヘーゲルにとって、哲学とは結果（終り）から見ることです。そして、出来事を終りから見ることはそれを目的（エンド）から見ることである。だけど、それは結局いつもあったこと（現実性）を合理化することにしかなりません[29]」。しかし、前述した通り、柄谷から見れば、資本主義が信用に基づいている以上、危機（終わり）を先送りする機能を持っているので終わることにはならない[30]。

また、資本主義に終りがないと言っているのは、ヘーゲル主義を背後にもつ正統派マルクス主義にある解放の理念、またはその目的論的な歴史観とも関わっている。「解放」の理念は、もちろん、神なき終末論でもある。この点は、のちのデリダが「この《歴史》の終わりは、本質的にはキリスト教的終末論なのである。」と、フクヤマを批判している通りである。[31]すなわち世俗化された終末論としての目的論的歴史観である。これについてアーレントが「歴史過程が直線的に発展していると考えられている以上、われわれの歴史概念の起源は全体としてキリスト教にある」と述べていることとも関連している。[32]すべてのオーソドックスなマルクス主義は例外がなく、このような神なき終末論によって支えられている。

上のような柄谷の論理を敷衍すれば、フクヤマが一九八九年の論文とその発展形としての一九九二年の著書において予告しているのは、新しい生産形態の資本主義とそれにもとづく新しいグローバルな帝国としてのアメリカの登場、さらにそのような時代の新しいイデオロギーであろう。その背景にあるのは「社会主義」と自称するイデオロギーとそれが支えているパーティ・ステート的国家権力の失敗であることも否定できない。だからと言ってその競争関係にあるイデオロギーの勝利だとも言えない。近代の最大の産物である国民国家体系の存在自体はその点を強く決定したからである。世界が対面しているのは、デジタルな情報生産様態に基づく新しいテクノロジー資本主義と金融支配、軍事的には大規模殺傷兵器と共にハイテク軍事技術に基づく覇権主義的時代の到来でもあり、環境的には地球そのものの破壊である。世界が不安定である点は旧態依然であるどころか、さらに深刻化している。「終わり」の言説の思想の貧困さは一目瞭然である。

他方、柄谷は「歴史」の「終わり」をめぐる言説を批判した以上、共産主義という、マルクス主義にある「目的」（「終わり」）そのものをなんらかの論理で救わなければならない。柄谷はそれを十分かっている。柄谷は対談において、「共産主義とは、なんらかの達成されるべき状態ではない。理念でもない。それは現実的な諸条件から生まれる現実的な運動であると。つまり共産主義は終わり（目的）なき運動（過程）であると言ってるわけですね。これはヘーゲルが言う歴史の目的とか理念とか、そんなものを否定しているということです」、と強調した。[33] 柄谷は、マルクスの『ドイツ・イデオロギー』から、「共産主義とは、われわれにとって成就さるべきなんらかの状態、現実がそれへ向けて形成さるべきなんらかの理想ではない。われわれは現状を止揚する現実の運動を、共産主義と名づけている」を引用しながら、マルクスの共産主義を「終り」（目的）として見ることを斥けた。[34] 柄谷は、これを通して、マルクス主義の目的論的終末論的性質から解放しようとした。

柄谷の九十年代以後の仕事は「交換」の探究を中心に、マルクスを経済（生産）中心論からも目的論からも解放するためにある種の新しい解読を試みようとした、といえる。[35] 柄谷のもう一つの方法論的視点はレーニン主義的政党のマルクス主義と一線を画す、アナーキズムからマルクスを解読することである。これについては柄谷マルクスまたはカントの主調音でもあるので後の章に委ねたい。

第四節　「歴史の終わり」と「長い戦後」の継続
——清末中国の思想家章炳麟の視点において

上述した渡部昇一に戻ろう。渡部のような保守論客の「終わり」礼賛のように「歴史の終わり」

がすでに達成させられたとすれば、なぜ「戦後」が終わっていないのか。または、「歴史」が「終わった」にも関わらず、戦後を依然として引きずっていることはあり得るのか。これらの問題はどうしても生じてしまうであろう。

ただ指摘しておかなければならないのは、国民国家が存在する以上、「歴史の終わり」があるはずがない。なぜならば、国民国家はいかなる制度であれ、「敵」を通して、そして「敵」を作ることを通してしか支配できないことに変わりがないからだ。したがってナショナリズムこそ唯一の皮肉な「普遍」となっている。これは「歴史の終わり」が宣告されたあとのグローバルな現実でありつづけてきた。たとえ民主主義でも本質的には一国内の「民主主義」であり、そうであるしかない。時には対外的に「民主主義」言説があるように見せかけているが、それは本質的には国内政治のためのものであり、最悪の場合は拡張的なナショナリズムをカヴァーし正当化する言説にすらなっているにほかならない。国家間の民主主義は理論的にも現実的にも人類の歴史においてまだ生まれていない。国際社会は本質的には依然として弱肉強食というジャングル法則が支配していることは情けない現実である。

しかし、前述したように、中国の清末の思想家である章炳麟は、辛亥革命の海外基地である東京で発行される革命団体同盟会の機関誌『民報』において「国家論」（一九〇七年九月二十二日）を発表した。繰り返すが、章は「国家の事業はもっとも卑賤なものであって、もっとも神聖なものではない。（中略）要するに、個体は真であり、団体は幻である」と述べている。[36] そして章炳麟は「愛国の念は、強国の民には有ってはならず、弱国の民には無ければならない」と断じた[37]。要は「強国の民」が愛国すればただちに帝国主義になるしかないというのである。「強国」と「弱国」とは、主観的なものである場合もあると言われるかもしれない。確かにそうである。しかし、そうであるがゆえに大衆の気分感情は言葉を通して、すなわち「敵」を作ることを通して「作る」ことが可能であり、コントロールすることができる。あるいは大衆側のほうからもコントロールされるのを熱烈に待ち望んでいる場合も多い。それは非民主主義か民主主義であるかを問わず、本質的に変わらないからである。

確かに民主主義は国内の対立を平和的に減らすのに有効な手段であることは疑いもないが、国家間の対立・紛争を減らすこととはあまり関係がない。ないしその逆の場合もある、例えば、Dan Reiter と Allan C. Stam III が一八一六年から一九八二年までの国家間の戦争について研究した結果、民主主義国家がより有効に戦争を発動し、より有効に戦場で闘い、そして戦争に勝つ可能性がより高いという結論に到った[38]。これはカントの平和論を疑問視するような結論ではあるが、カントの平和主義という理念の人類平和への寄与を否定するわけではない。理念によって多少でもよい将来が可能だからである。自称「社会主義」とは別に、社会主義という理念もそうであるからだ。

また、フクヤマがアメリカ型の民主主義の進化で歴史が終ったと言っていることは、楽観的な目的論であることはいうまでもない。そのような「進化」の偏りについては、章炳麟がその「倶分進化論」（一九〇六年九月）において述べていることからも窺える。章炳麟は「しかし、わたしは進化の説がまちがいだとはいわない。（中略）進化の進化たるゆえんは一方の直進によるのでなく、必ず双方の並進による、ということがかれらに分かっていないのだ。もっぱら一方だけをあげるのは、ただ知識が進化するというだけならばよい。もし道徳についていえば、善も進化し悪も進化する。もし生計についていえば、楽も進化し苦も進化する。双方が並進するのは、影が形につきしたがい、魍魎（影の影）が影を追うのと同様であり、それ以外にない。」と述べている通りである。[39]章炳麟のこの文章はヘーゲルの「発展論」とその追随者を批判する文脈にあるものである。

いずれにせよ、渡部昇一によって代表される「歴史の終わり」言説に対する日本の保守側の反応はアメリカが主導する枠組み内にある、日本の保守側の「戦後イメージ」の一コマにすぎないことはいうまでもない。

〈注〉

（1）今村仁司「コジェーヴ」、廣松渉、子安宣邦、三島憲一、宮本久雄、佐々木力、野家啓一、末木文美士編『岩波・哲学・思想事典』岩波書店、二〇一五、五二〇頁。

（2）アレクサンドル・コジェーヴ『ヘーゲル読解入門――『精神現象学』を読む』、上妻精、今野雅方訳、上妻精「解説」、国文社、一九八七、四八二～四八三頁。

（3）Stanley Rosen のコジェヴ著書 Essai d'une histore raisonnée de la philosophie païenne に対する書評 *Man and World*, Vol. 3, (1970), p.120. Shadia B. Drury, *Alexandre Kojève: The Roots of Postmodern Politics*, (New York: St. Martin's Press, Inc.,

1994), p.65、から転用した。

（4）Shadia B. Drury, *Alexandre Kojève: The Roots of Postmodern Politics*, p.65.

（5）同前、日本語訳者解説、四八三頁。

（6）Alexandre Kojève, *Introduction to the Reading of Hegel: Lectures on Phenomenology*, assembled by Raymond Queneau, ed. Allan Bloom, trans. James H. Nichols Jr. (Ithaca: Cornell University Press, 1969), 6.

（7）コジェーヴは次のように言う。「人間が**自我**として、本質的に非我と異なり根本的にそれと対立する**自我**として――自己自身及び他者に対し――自己を構成し自己を開示するのは、「自己の」**欲望**の中で、「自己の」**欲望**により、より適切には、「自己の」**欲望**としてである。（人間の）**自我**とは、或る**欲望**の――或いは**欲望**そのものの――**自我**なのである。」コジェーヴ『ヘーゲル読解入門』、一二頁。強調はコジェーヴ。

（8）ハンティントン論文は一九九六年に *Clash of Civilization And the Remaking Of World Order* と単行本に発展・出版された。『文明の衝突』鈴木主税訳、集英社、一九九八（＝集英社文庫〔上・下〕、二〇一七）。

（9）フランシス・フクヤマ『アメリカの終わり』会田弘継訳、講談社、二〇〇六。

（10）Francis Fukuyama, *The End of History and the Last Man*, (New York: Penguin Books, 1992), p.144.

（11）Alexandre Kojève, *Introduction to the Reading of Hegel: Lectures on Phenomenology*, 158-159.

（12）Alexandre Kojève, *Introduction to the Reading of Hegel: Lectures on Phenomenology*, 161.

（13）Francis Fukuyama, *The End of History and the Last Man*, 310-311.

（14）増田一夫「訳者解説」、ジャック・デリダ『マルクスの亡霊たち』増田一夫訳、藤原書店、二〇〇七、四一五～四一六頁。

（15）ジャック・デリダ『マルクスの亡霊たち』、一三三頁。

（16）フランシス・フクヤマ『歴史の終わり』渡部昇一訳、三笠書房、一九九二、三一五頁。

（17）フクヤマ著書に対する日本の批判的な反応については、これから論じる柄谷行人のほか、加藤尚武『世紀末の思想』（ＰＨＰ研究所、一九九〇）が専門領域からの批判者として代表的であろう。そのほかに哲学者の野家啓一「「歴史の終焉」と「物語の復権」」（今村仁司編『格闘する現代思想』講談社現代新書、一九九一、所収。）や、中村雄二郎「歴史の終り」（『術語集Ⅱ』岩波新書、一九九七所収）がその類である。そのほかに、批判派の文章としては浅田彰他『〈歴史の終わり〉と世紀末の世界』（小学館、一九九四）や、宮台真司『終わりなき日常を生きろ』（筑摩書房、一九九八）、などがある。

（18）加藤尚武『世紀末の思想』ＰＨＰ研究所、一九九〇、一四〇〜一四一頁。

（19）東浩紀『動物化するポストモダン――オタクから見た日本社会』講談社現代新書、二〇〇一、九九頁。

（20）英訳者の Abel Jonathan と河野至恩の定義は、Abel, Jonathan and Kono, Shion, "Translators' introduction" in Azuma, Hiroki; *Otaku : Japan's Database Animals*, xxviii.

（21）東浩紀前掲書、二四頁。

（22）フクヤマ論文直後の柄谷の反応としては、柄谷行人・岩井克人『終わりなき世界』（太田出版、一九九〇）、柄谷行人「歴史の終焉について」（『思潮』一九九〇年三月第八号、『終焉をめぐって』福武書店、一九九〇、所収）、柄谷行人「文字の地政学――日本精神分析」（『柄谷行人集４』岩波書店、二〇〇四、所収）、などがある。

（23）日本思想を考察する際、ポストモダンを「近代の超克」に呼応するような意味において使っている論文にＨ・Ｄ・ハルートゥニアン（Harry D. Harootunian の「ポスト・モダンの暗示」がある。テツオ・ナジタ、前田愛、神島二郎編『戦後日本の精神史――その再検討』岩波書店、一九八八。

（24）柄谷行人・岩井克人『終わりなき世界』、一七三頁。

（25）「歴史の終焉について」（一九九〇年三月）、柄谷行人『終焉をめぐって』講談社学術文庫、二〇〇〇、一八七〜一八八頁。

（26）柄谷行人・岩井克人前掲書、一七三頁。

(27)「学術文庫版へのあとがき」、柄谷行人『マルクスその可能性の中心』講談社学術文庫、一九九〇、二三八頁。
(28) 柄谷行人「『世界史の構造』について」『現代思想』二〇一三年五月号、青土社、八頁。
(29) 柄谷行人・岩井克人前掲書、一七一頁。
(30) 柄谷行人・岩井克人前掲書、一七二頁。
(31) デリダ『マルクスの亡霊たち』、一四二〜一四三頁。
(32) アレント『革命について』志水速雄訳、ちくま学芸文庫、一九九五、三四頁。
(33) 柄谷行人・岩井克人前掲書、二〇一頁。
(34) 柄谷行人『終焉をめぐって』、一六九頁。ここで柄谷が引用したのは、花崎皋平訳『新版 ドイツ・イデオロギー』合同新書、一九六六の訳文である。
(35) 柄谷は、フランクフルト学派が、ウェーバーの社会学や、フロイトの精神分析理論などを導入し、「上部構造の相対的な自律性」を強調すると、結果的に経済的な次元を軽視したと批判した。また、ベネディクト・アンダーソンの『想像の共同体』も、国家やネーションを表象や幻想と見なすことも国家やネーションを「上部構造」として見ることになるので同じように、経済的次元の軽視である。柄谷行人「『世界史の構造』について」『現代思想』二〇一三年五月号、一三頁。
(36) 西順蔵・近藤邦康編訳『章炳麟集』岩波文庫、一九九〇、三二四〜三二五頁。
(37) 同前、三二五頁。
(38) Dan Reiter and Allan C. Stam, "Democracy, War Initiation, and Victory," *American Political Science Review*, Vol. 92, No.2 (Jun 1998), pp.377-389. この論文の存在は若い友人都築勇裕さんを通して知った。Dan Reiter and Allan C. Stam, *Democracies at War* (Princeton, N.J.: Princeton University Press, 2002) も参照されたい。
(39) 章炳麟「倶分進化論」『民報』七号、一九〇六年九月号。日本語訳は、西順蔵、近藤邦康編訳『章炳麟集』、一〇二頁、による。章のヘーゲルとその追随者批判については、拙稿「清末中国のある思想家の憂鬱――章炳麟の「進化論」批判」、東京大学東アジア藝文書院編『私たちは世界の「悪」にどう立ち向かうか』（トランスビュー、二〇二二）所収、を参照されたい。この章の議論は部分的に重なっている。

第三部　東アジアの視点から

第六章　柄谷行人のトランスポジション

本章ではまずケーススタディとして、「現代思想」の旗手と言われている柄谷行人の仕事を概観することを試みながら、柄谷の仕事と「外部」（歴史、社会など）との関係を見てみたい[1]。そして柄谷の仕事の内部において思想上、思考上の移動（トランスポジション）の経路を確認しながら、その意味を確認したい。概観である以上、近年の主著『トランスクリティーク——カントとマルクス』（二〇〇一）と『世界史の構造』（二〇一〇）については、結果的には断片的に論じるに止まっていることを断っておく。

第一節　近代日本の人文科学にとって「文芸批評」とは何か

近代日本の哲学的言説は、近代日本の「文芸批評」なるもの——その全てがと言えば言い過ぎになるが少なくともその良質な部分——に負うところが大きい、と言っても恐らく異論はなかろう。

良質な文芸批評の影響力が如何に大きいかは、近代日本の知識人の歴史を見れば一目瞭然である。このことは近代日本の文芸批評を性格づけていると同時に、ある程度近代日本の哲学的言説をも性格付けている。

他方、「思想史」の対象の大きな部分は、具体的な歴史的社会的政治的な文脈にある「哲学」的言説である、と定義しても差し支えなければ、近代日本の文脈にある「文芸批評」なるものは「思想史」の対象として無視できない。このような日本の文脈にある「哲学」的言説または「文学」的言説は、アカデミズムの、すなわち人文科学におけるディシプリン間のお互いの違いを強調することを通して成立したのであるから、「文学」と「哲学」とを比較したときに見えてくる文芸批評とこれらのディシプリンとの微妙な異同もまた興味深い。近代日本における文芸批評は、「哲学」を普及させる重要なメディア、ジャンルであると同時に、アカデミズムの視点から見れば、「哲学」を単純化し、混乱をもたらした張本人でもある。だからこそ近代日本の「哲学」の在り方を見る上で文芸批評は重要となるのである。

さらにいうならば、このような「文芸批評」における「文学」と「哲学」との関係（例えばいったいどちらが支配的なのか、いったいどちらが目的でどちらが手段なのか、などの問題）も興味深い。このような近代日本の「文学」と「哲学」の「伝統」は、今日の日本語で言う「現代思想」が王者となった七〇年代以降においても依然として続いている。それどころか、いっそうこの特徴が明らかになったといえるかもしれない。この「現代思想」の特徴の一つが「文学」と「言語論」によって西洋形而上学の伝統を攻撃することである、と言えるならば、この「現代思想」は意外にも逆説的に「文学」と「哲学」との関係をいっそう密接なものにしたのである。この点について七〇年代以後における代表的な思想家柄谷行人の例を見る際にも、われわれはこのような「伝統」を強く感じるのである。

そして、忘れてはならないのは、近代日本の文芸批評は、近代日本の「歴史学」というディシプリンにも大きな問題提起をしているということである。「文芸批評」の良質な部分自体は近代日本知識人の思想史の一環であると同時に、アカデミズムの「歴史学」なるものの領地をもつねに侵犯している。つまり、文芸批評の良質な部分は日本の近代の歴史に積極的に参入することを通してそれ自体が歴史になっているだけでなく、「歴史」の問題も文芸批評の大きな関心となっているのである。

近代日本の「文芸批評」に対する以上の整理が妥当であるならば、近代日本の「文芸批評」の良質な部分は、近代的なアカデミズムのディシプリン制度に対する撹乱装置である、と言っても過言ではなかろう。そして、大学が一つの権力であるならば、文芸批評は在野的なものである以上、時にはアカデミズムに対して造反する性格すら持っている。近代日本の一部の文芸批評はそのような性格を持っているからこそその魅力を増したのであろう。また、文芸批評は、出版資本主義との結託を通して「文学」、「哲学」、「歴史学」、「言語学」の言説を再生産できたのである。

このような問題意識を持ちながら、われわれは柄谷行人の仕事を見てみたい。

第二節　「一九七五年」という転換点
――文芸批評家から理論家への変身、または文芸批評と哲学的言説との融合

柄谷行人の公式ウェブサイトでは、柄谷の著作を、一九六六年から一九八一年まで、一九八二年から一九九五年、一九九六年以後、という三つの部分に分けている。そのような分け方には何らかの理由があるはずである。とりあえずその分け方を借用しながら、一九六六年から一九八一年までに発表された著作を「早期作」とする。この時期の代表作としては一九七五年に刊行された『意味という病』（河出書房新社）、『マルクスその可能性の中心』（講談社、一九七八）、一九八〇年三九歳のときに『群像』一月号から八月号まで連載された「隠喩としての建築」、一九八〇年に刊行された『日本近代文学の起源』（講談社）が挙げられる。

柄谷本人も回顧しているように、「早期」のなかで一九七五年は重要な一年である。柄谷はアメリカでイェール大学の理論家ポール・ド・マン（一九一九－一九八三）と出会い、自分の仕事を理解してくれる同志を得たと言っていることをまず特筆しておきたい。柄谷自身の言い方で言えば、「僕の理論的な仕事は、一九七五年に始まったといえます。それまでは、たんに日本の文学批評家であった」、と。[2] かくしてこの時期における柄谷は、文芸批評家として文学と哲学をまたいで、記号学やポスト構造主義などの欧米の理論に通じる手法で注目されていたが、特に『日本近代文学の起源』が「日本」「近代」「文学」に新しい解釈を与えたことは特筆すべきであろう。

第三節　一九八四年というもう一つの転換点

一九八二年から一九九五年までの柄谷の著作を「中期作」としたい。この時期の代表作としては、「言語・数・貨幣」（一九八三年『海』四月号から十月号にかけて連載）や、『内省と遡行』（一九八五）、『ポストモダニズム批判――拠点から虚点へ』（笠井潔との対話集、一九八五）、『探究Ⅰ』（一九八六）、『探究Ⅱ』（一九八九）、『終わりなき世界』（岩井克人との対話、一九九〇）、『夏目漱石論集成』（一九九二）、『探究Ⅲ』（『群像』一九九二新年号から一九九六年九月号まで隔月連載）、『ユーモアとしての唯物論』（一九九三）、『戦前の思考』（一九九四）などが挙げられよう。「中期」のなかで一九八四年は特に柄谷にとって重要な転換点である。柄谷は一九八四年におけるこの転換を次のように述べている。

とにかく一九八四年以後は、バブルでインテリまで浮かれていた。（中略）言葉が、差異化が、世界をつくる、というテクスト的観念論が日常的になっていたわけです。（中略）
こういう情勢を僕は嫌悪していた。では、自分がやってきた仕事（「言語・数・貨幣」）が、テクスト的観念論であったことは否定できない。そして、それを克服するにはどうしたらいいか。その手探りの仕事が『探究Ⅰ』であり、『探究Ⅱ』でした。そのなかで、僕は「他者」とか「外部」という言葉を使った。別に何でもない言葉です。ただ、テクスト的観念論から、それを単に観念論として退けるのではなく、その内部から否定していくことはできないか。それを模索していた。（中略）いま、それを読むと、ひどく抽象的な議論です。ただ、その時には、政治的なリアリティがあったのではないか。[3]

これらの引用は、柄谷における「カントへの移行」について「どこからどこを経て移行するのか」を説明するのに多少役立つものだろうと思う。「抽象的な議論」という自己批判も重要である。「言語・数・貨幣」は、柄谷の『内省と遡行』（一九八五）に収められた長い論文の題名であるが、彼のこの時期における仕事の総括の名前としても理解できる。「言語」とはベースとなるソシュール言語学であり、「数」とは数学基礎論であり、「貨幣」とはマルクス『資本論』の解読である。この三者が一つとして見られるのは、柄谷が万物に妥当するような形式論（フォーマリズム）を思考しようとした試みとして理解できよう。

この時期の仕事の特徴は柄谷自身による形式化の模索、または「抽象力」の模索である。そこに「政治的なリアリティ」があると柄谷が自己評価しているのは、自己肯定の言説、非歴史的な言説として流行っていた、日本語のいわゆる「フランス現代思想」に対する拒絶であり、新しい「近代の超克」の言説に対する批判であろう。[4]ただ柄谷は「抽象力」や「形式化」の演出に力を注ぐあまりに、歴史も現実も無化させてしまったのである。この「数学的な」「形式化」または「抽象力」

は結局のところ歴史や現実を括弧に括ってしまうような、高度な観念化になりかねないからである。この点に対する自覚、反省は、上の引用からも窺えよう。

柄谷の外部への関心は、早期の代表作である『近代日本文学の起源』のように、文学を通して歴史に接近していく姿を取っていたが、彼のこの時期の哲学的言説は、ソシュール言語学による『資本論』の形式的な解読を含んでおり、彼の文学論とは違って本来抽象的なものであった。むしろ彼の哲学的な言説を外的な世界へ開こうとしたのは、皮肉なことに、流行の「ポストモダン」によるものであった。一九八四年十一月号の『海燕』において発表された「批評とポスト・モダン」は、おそらくそれまで柄谷をポストモダンの旗手と崇拝してきた若者たちを驚かせたのではないだろうか。このポストモダンへの批判は柄谷が非歴史的なフランス現代思想の流行に対して発した不満がメインであったが、自分への不満もないわけではなかろう。柄谷は次のように述べている。

この時期に（一九八四年＝引用者）、僕は外的な世界への関心が戻ってきたと思います。それまでは、「言語・数・貨幣」の問題を形式体系として考えていた。たとえ形式体系を内部からディコンストラクトするといっても、あくまで観念論的なものでした。それを断念したあとに、初めてありふれた外的な世界が見えてきた、ということですね。(5)

一九八四年に「外的な世界への関心が戻ってきた」と言っているのは、それまでに外的な世界への関心があまりなかったことを意味している。自分の仕事をも「観念論的」だと自己批判することができるのは、柄谷を開かれた思想家にした自己批判力による。

この時期の著作の特徴として指摘しておきたいのは、まず流行の日本ポストモダン言説を批判したこと、そして「歴史は終った」というフクヤマの言説を批判したことが挙げられる。これについては前の章で論じた。

第四節　実存主義者と「マルクス」の間の彷徨い――柄谷の漱石論を中心に

ここでは柄谷におけるカント的「ヒューモア」概念を取り上げ、彼の「イロニー」概念との関連を紹介し、これを通して彼とポール・ド・マンとの異同も見ることにするが、とりわけこの時期における彼とカントとの関係を見てみたい。

柄谷は「ヒューモア」を、内／外、主／客のようなレベルを自在に往還しうる能力であると解釈している(6)。柄谷によれば、ヒューモアとイロニーの違いは、まず、前者は自分だけでなく他人にも快感を与え、自分も他人もそれによって解放されるのに対して、後者はただ単に当人の超越論的自我の「優位」を証明するだけである(7)。ここからみれば、少なくとも柄谷の漱石論においては「イロニー」はマイナス的に使われており、「ヒューモア」はプラス的に使われていると言える。柄谷は曖昧な形でイロニーという「概念」を使用しながら、「ヒューモア」に関しては明確にフロイトのそれに依拠していることがわかる。「ヒューモア」は、超自我の媒介によって生ずる滑稽というフロイトの規定に基づいているものである。[8] では、柄谷の「イロニー」あるいは「ヒューモア」とは如何なるものか、ド・マンの議論と比べながらさらに見てみよう。

ド・マンは「時間性の修辞学」という論文においてボードレールのエッセイ「笑いの本質」の一節を引用して自分の「イロニー概念」を説明しようとした。ド・マンによれば、ボードレールは「滑稽」という概念を二通りに分けている。ひとつは、滑稽という概念が成立するためには、「笑う者」や「観る者」が必要であり、他者に向い、個人と個人の関係の経験的レベルに存在するような「単純な滑稽」（または「有意義的な滑稽《コミック・シニフィカティフ》」）である。もうひとつは、「絶対的滑稽《コミック・アブソリュ》」すなわちイロニーである。前者は、間主観的なものであり、本質的に同類の人間同士の間にあるものであるのに対して、後者は意識の中にあるものであり、自我と自我の間、人と自然（すなわち本質的に差異的なもうひとつの存在）の間にあるものである。そしてここでの「他者」とは、自分に対しての他人はもちろんのこと、ド・マンの引用したボードレールが言うところの、「人間存在の中に、恒久的な二重性の実存、同時に自己であり一人の他者であり得る」者をも指している。すなわち自分を対象化する能力＝反省する対象としての自分＝内的な他者＝自我の二重化である。「絶対的滑稽《コミック・アブソリュ》」ないしイロニーとは、そのような他者を得る力としても理解できる。これに対して、間主観的な世界にある「単純な滑稽」（a simple sense of comedy）とは、ある主体の別の主体に対する優越であり、ある人間が別の人間を笑っている時の「権力意志」である。[9] ド・マンによれば、ボードレールの

「絶対的滑稽《コミック・アブソリュ》」ないしイロニーは、間主観的なヒューモアよりは、滑稽（comedy）のより高い形式である。[10]

柄谷の扱い方は、一見、ド・マンのそれと異なるものである。そして柄谷もまた「ヒューモアとしての唯物論」というエッセイにおいて、ボードレールのこのエッセイの別の一節を引用している。

> 笑いは本質的に人間的なものであるから、本質的に矛盾したものだ、すなわち、笑いは無限な偉大さの徴《しるし》であると同時に無限な悲惨の徴であって、人間が頭で知っている〈絶対的存在者〉との関連においてみれば無限の悲惨、動物たちとの関連においてみれば無限の偉大さということになる。この二つの無限の絶え間ない衝突からこそ、笑いが発する。滑稽というものは、笑いの原動力は、笑う者の裡《うち》に存するのであり、笑いの対象の裡にあるのでは断じてない。ころんだ当人が、自分自身のころんだことを笑ったりは決してしない、もっとも、これが哲人である場合、自分をすみやかに二重化し、自らの自我の諸現象に局外の傍観者として立ち会う力を、習慣によって身につけた人間である場合は、話が別だが。[11]

柄谷は「自分を速やかに二重化し、自らの自我の諸現象に局外の傍観者として立ち会う力」を「ヒューモア」と名づけ[12]、形式上、ド・マンとは正反対の立場に立つ。柄谷によれば、この「ヒューモア」とは、「有限的な人間の条件を超越することであると同時に、そのことの不可能性を告げるものだ」。

彼のこのような「ヒューモア」は、ある対談において小林康夫からの問いに対する返答として語られた次の議論からも窺える。

（カントには）ロマンティックなアイロニーはない。彼は超越論的立場に立つ、つまり自己二重化をやるのであるが、僕はそれはヒューモアと呼ぶべきだと思います。自分の有限性を自ら示そうとするわけですから。しかし、これもアイロニーと紙一重ですね。例えばかくも自分の有限性を自覚している私は何と偉いかというようになると、アイロニーになってしまう。(13)

「自己の二重化」に関わる「ヒューモア」とは、フロイト的にいえば、自らの無力、苦痛を「笑う」ような精神的余裕で乗り越える「超自我」となる。引用文中の「自己二重化」とは、「反省する自分」と「反省される自分」、「意識する自分」と「意識する自分を聞く自分」のような「自己二重化」ではなく、そのような二重化は、「反省の反省の……」「意識の意識の……」という同一的な積み重ねであり、「自己」という自閉的な内部のものでしかない。そうではなく、「自己」と「自己」を成立させる「超越的な他者」との関係という意味においての「自己二重化」として理解できる。柄谷はここで「超越論的立場」＝「自己二重化」の同義語として「アイロニー」と「ヒューモア」を同じ意味で使っているのである。

柄谷の「ヒューモア」は、自分の有限性を自ら示すことにおいて、ここでは自己対象化、自己相対化のことを指している。ここからも窺えるように、柄谷の「ヒューモア」は、ド・マンの「イロニー」と似たような意味において使われていると言える[14]。しかし、このような併用は柄谷のカント解読と関わっている。すなわち、ここでいう超越論的立場（態度）は、「超越論的主観」または「超越論的自我」のことであり、彼が解釈したカントの「物自体」の別名である。「超越論的態度」とは、「経験的な意識の自明性を括弧に入れて、それを成立させている（無意識的な）諸条件を問うことである」[15]。この態度は、「内省」＝「鏡」＝内部とは異なる、他者の他者性＝無意識の構造という外部としての「物自体」と直結している[16]。

ここで柄谷の「ヒューモア」はフロイトの「ヒューモア論」にも依拠していることが分かる。森村修は柄谷の「ヒューモア」について次のように指摘したことがある。

（柄谷は）「ヒューモア」的態度が超越論的主観という「物自体＝空無」に直面した近代的主観が見出したひとつの精神的態度であることを見だす。柄谷によれば、フロイトの「ヒューモア的態度こそがカントの「超越論的主観」という「物自体」に対する自我意識の「自発性＝能動性」の現れである。自らの「内部」に不可避的に抱え込まされた「物自体＝超越論的主観」という名の「外部」に対して、絶対的に受動的でしかありえない自我主観（＝近代的自我）は、「物自体」という「空隙＝空無」を埋め、受動的な存在から能動的＝自発的な存在へと乗り越えていこうとする。柄谷によれば、その原動力が、カントが見出した「理性の自然的本性」であり、フロイトの「欲動」にほかならない[17]。

この観点から見れば、柄谷は彼が解釈したカント的「物自体」からフロイト心理学を、フロイトの心理学からカントの「物自体」を解読したと言える。そのような意味においてこそ柄谷はフロイトの「無意識」を「超越論的な」構造としてとらえ、「フロイトの心理学」はユングの心理学とは違って経験的な心理学ではなく「超越論的な心理学」であると述べた[18]。ある意味では柄谷はフロイトの「超自我」をカントの「超越論的自我」の同意語として見ており、「ユーモア」の源泉として見たのである[19]。

さらに指摘したいのは、柄谷の漱石論における「ヒューモア」が、自他の問題を前提にしていることである。自他の問題は柄谷にとって重要である。なぜならば、他人に対して快感を与えるか否かという問題は、柄谷が抱えている他者という倫理的な問題と深く関わっているからだ。柄谷は、明らかに「ヒューモア」にそのような倫理的価値を見出すことで、それに対して肯定的態度を持っている。そして、柄谷は彼の漱石論において、漱石は自分の存在に対してだけでなくその写生文においても、語り手が「大人が小児を視る如き立場」に立ちながら、中性化（消去）されるものと指摘し、そのような写生文を「ヒューモア」として見た[20]。

他方、ここで指摘しなければならないのは、柄谷のイロニー概念（あるいはヒューモアの概念）に関する理解は極めて実存主義的なものであるという点である[21]。これはおそらく彼がド・マンに強く共鳴を感じた点であろう。F・レントリッキアも指摘した通り、少なくとも早期のド・マンはサルトルの実存主義やハイデガーの存在論に負うところが大きい[22]。しかし、少なくとも漱石論における柄谷の実存主義的な態度は、サルトル的というよりもキルケゴール的なものである。もちろんキルケゴールの「他者」は、周知の通り、「神」であるが、ここはむしろ社会的現実と距離があるという意味において「キルケゴール的」と言っているのである。柄谷本人も述べたように、キルケゴール的実存は他者（神）につながるものであるが、「実存の現実性は強調するけれども、社会的現実構造は無視」されている[23]。

他方、サルトルのいう「他者」は、柄谷からみれば自己意識の問題にすぎない[24]。結局この時期の柄谷は社会的現実構造を変革しようとするようなサルトルの実存（倫理的主体）に対しても距離感があり、また、そのような実存（主体）は作り上げられたものにすぎないとして実存主義を否定しようとする構造主義に対しても、賛成しなかった。したがって、「実存」と「倫理」のズレにこそ、柄谷の漱石解読、ないし彼のマルクスの『資本論』に対する解読のキー・ポイントがあるように思われる。彼はカント的倫理性と、キルケゴール的実存とのある種の並存（調和）を求めようとする。このような背景において彼は漱石解読に入り、他者の問題系に入ったといえよう（他者の問題はまさに倫理的な問題である）。そしてこれこそが、彼のイロニーあるいはヒューモア概念を理解するのに重要な点である。

柄谷の漱石論の実存主義的態度は、漱石の「自然」に対する彼の解釈からも垣間見られる。

意識にとって自然とはなにか、漱石はこういう問いをもはやどんな抽象的な概念によっても問うてはいない。「自然」は自分から始まり自分に終わる「意識」の外にひろがる非存在の闇だが、漱石はそれを神とも天ともよばない。あくまでそれは「自然」なのだ。なぜなら、漱石は超越性を、ものの感触いいかえれば生の感触を通してしか見出そうとしなかったからである。(25)

彼は彼自身を、「何の為に生きてゐるのか」分からぬような他者たちと対等な存在として考えるほかないのだ。そして、「自然」のこういう非情な平等性を見出したとき、彼ははじめて周囲の他者を対等な存在として認めたのである。(26)ここでの議論は、大衆を見おろす「「人間の平等」というヒューマニスティックな観念から出発した文学者」、こと正統派のマルクス主義文学者に対する批判の文脈にあると理解できる。

　ここで柄谷は漱石の「自然」を「「自然」は自分から始まり自分に終わる「意識」の外にひろがる非存在の闇だ」と明確に言っている。この「自然」／「非存在の闇」は、小林敏明も指摘した通り、漱石が、あるいは柄谷自身も対面した存在することの不安のメタファーであると同時に、場合によっては「自我」、そして柄谷が始終関心を持っていたフロイト的「無意識」という外部である〈小林『柄谷行人論――〈他者〉のゆくえ』、三五～三七頁〉。これは後年の柄谷のカント解読にある

「物自体」という絶対的な他者につながる問題でもある。

ド・マンは「イロニーの概念」において、シュレーゲルのイロニーを理解の不可能性、とりわけ読書主体の記号体系に対する理解の不確定性として説明し、それをさらに自分なりに再発展させて、経験的自我と記号化された自我、自我の二重化などの乖離を問題にした。これに対して、柄谷は倫理と存在の乖離をより実存主義的に展開したのである。このような違いがあるからこそ、柄谷は漱石を論じた「内側から見た生」（一九七一）というエッセイにおいて同じような理解の不可能性、あるいは存在と意識の乖離について論じながらも、それを自分自身と他人に対する不可知性として論じることになる。ここにド・マンの言語論的、文学論的な傾斜と、柄谷の実存的、倫理的傾斜の違いが見られる。

柄谷はサルトルの「実存」を自己意識という内面性に閉じこもるものとして否定し、それとは違う「現実性としての実存」を肯定しようとした。七〇年代の日本の文脈においてはそれはけっきょく、サルトルの日本における政治的意味をも否定したと言えるかもしれない。

彼は、「政治」を「文学」する「文学」を「内面性としての文学」として否定し、それは「単に過酷な外界を創造的に消去してしまう」ものと見ている。[27] 彼の言い方でいうならば、それは他者なしの世界である。ここに「大衆の獲得を必要」とする「知識人」に対する彼の批判が含有されているると言える。[28] 具体的にいうと、そのような知識人は伝統的な左翼政党とその知的擁護者である。柄谷からみれば、そのような知識人とは必ずある「中心」あるいはある超越論的な「場」に立脚しているものであり、そのような「場」にいる以上、自己相対化する力を失う。他方、集団の解体と大衆からの遊離の必要性と必然性を意識しているものこそ、「知識人」だと彼は主張している。[29]そのような知識人の理想像を彼は漱石から見出そうとした。彼は漱石の小説に倫理的な位相と存在論的位相という二重構造、他者（対象）としての私と対象化しえない「私」の二重構造を見出し、その二重構造のズレを問おうとしたのである。[30]

第五節　一九八九年というもう一つの転換？　開かれた歴史までの紆余曲折

一九八九年は世界の左翼知識人にとって重要な一年である。中国の天安門事件、ベルリンの壁の崩壊が象徴する「社会主義」陣営の解体、などがあった。日本では昭和天皇が亡くなった。一九九一年には湾岸戦争が起こり日本も資金支援の形でいわゆる「国際貢献」／アメリカ支援をした。そしてソ連も現実に崩壊した。この年から柄谷の理論的な関心はカントへ転じた。[31]柄谷のカントへの移行は明らかに外部の政治と密接な関係にある。この移行は、新しい理論的枠組みでマルクスという左翼のバイブルを再構築しようとする意味において一種の政治的な抵抗／逆行である。同時にカントへ後退してマルクスを再解釈すること自体は一種の政治的な後退でもある。それは、政治的文脈からいうと、現実に達成できない政治的な目標（例えば社会主義や共産主義）を、目標を下げて（頭だけは下げずに）理論的に＝抽象的に抵抗しよう、ということである。柄谷の解釈したマルクスの「コミュニズム」（批判的な態度、倫理的な選択としてのコミュニズム）がまさにそれに当たる。
しかし、柄谷の純粋理論的な言説または純粋哲学的言説も彼の理論的な視点を介在している文芸批評と同じように現実性とその裏返しにある歴史性という大きな世界に開かれるまでは、紆余曲折があった。この紆余曲折は、柄谷自身が抱えた問題によるものであった。また、近代日本思想史的文脈と社会的政治的な要素もある。この「紆余曲折」は柄谷の「早期」に当たる『マルクスその可能性の中心』（『群像』一九七四年三月号〜八月号、一九七八年七月の時に単行本として講談社から刊行）にも言えるかもしれない。ソシュールの言語論を始めとする言語学理論を『資本論』解読に応用したこの著書は、マルクスにある断片的な言語論的な思考に近い議論をソシュール的に解釈し、さらにそれを通してマルクスを解読しようとした。そこに近代日本の代表的な文芸批評家の一人である小林秀雄の影響を見てとることができよう。この点について柄谷は『マルクスその可能性の中心』「あとがき」において小林秀雄の『様々なる意匠』（一九二九）を引用しながら次のように小林秀雄を通してマルクスを解読している通りである。

明らかに、小林秀雄は、マルクスのいう商品が、物でも観念でもなく、いわば言葉であること、しかもそれらの「魔力」をとってしまえば、物や観念すなわち「影」しかみあたらないことを語っている。この省察は、今日においても光っている。(32)

このようなマルクス理解は、けっきょく、マルクスの社会性、政治性を言葉またはテキストの観念として把握する恐れを免れえない。一九二九年の小林の文脈とは、ほかならぬマルクスを反映論的に展開している左翼文壇の批評家を批判している文脈であるが、同時に政治的に左翼の政治性を解消しようとする文脈にもあるものである。結局『マルクスその可能性の中心』は、ソシュールとマルクスの間に彷徨うテクストである。なぜならそれは階級的経済的社会的差異性を言語的な差異性に解消しかねないからである。

この時期の柄谷は一方では『日本近代文学の起源』のような歴史学・文学批評の傑作を生み出すと同時に、他方、新しい理論的な枠組みを求めて苦闘し模索している時期でもある。しかし、前の引用にあったように柄谷は自分の一九八四年以後の仕事、すなわち『探究Ⅰ』『探究Ⅱ』『探究Ⅲ』を、「政治的なリアリティがあった」が依然として「抽象的」と事後に言っている（『政治と思想1960―2011』、六四頁）。ましてや『マルクスその可能性の中心』は一九八四年より以前の著作である。すなわちカントに移行すること自体、抽象化の高い可能性を含むということである。政治的社会的関係性から資本主義を解釈しようとするマルクスによってバランスを取らなければならなくなったのは、その後の『トランスクリティーク』である。ここで言いたいのは、柄谷自身も非歴史性や観念論と戦いながら、必死に外部への模索を実践しようとした点である。九〇年代全体は柄谷にとって、観念的な内部から、抽象的ではあるが、ある程度の政治的リアリティのある「他者論」としての「外部」へ脱出しようとした長い時期である（『探究Ⅰ』『探究Ⅱ』『探究Ⅲ』は一〇年以上連載された）[33]。この外部への脱出を、柄谷は同時並行的にＮＡＭという運動として実践のレベルにおいても展開しようとしたわけである。

とは言え、柄谷の批判的なポストモダンは、ほかの「左回転」と言われていた日本の文脈における批判的なポストモダンの登場とは違って、九〇年代における政治的保守化に向かうことはあまりなかったことも指摘しておくべきである（仲正昌樹の整理によれば、一九九三、四年までのポストモダンは「非政治的」であったが、その後から「左旋回」したという）[34]。『探究Ⅰ』『探究Ⅱ』『探究Ⅲ』が連載されていた九〇年代の日本は、前述した通り、さまざまな歴史認識の保守化が進行していた。これは日本の文脈におけるポストモダン哲学の歴史回帰を促した出来事であるが、これらの現場において柄谷の存在感が薄いのは偶然ではなかろう。これは二〇一〇年に出版した『世界史の構造』の後における柄谷の政治的現場での存在感とは対照的である。柄谷の政治への参入は常に自分の思想的構築に伴ったものであるとするならば、『世界史の構造』によって思想家柄谷が歴史とその裏返しにある現実への回帰を成し遂げたと言えるかもしれない。

第六節　「コミュニケーション」、「交換／交通」概念の変遷

――文化人類学からの示唆とその意味

柄谷の『探究Ⅰ』（一九八五～一九八六）は「コミュニケーション」の問題を主にウィトゲンシュ

タインなどに依拠しながら言語的に見ているに止まっている。すなわちこの時期の「コミュニケーション」は広い意味の「交換」の同義語ではなく、依然として狭義のそれである。それは、対話とは、言語ゲームを共有しない者との間にのみあり、他者とは、自分の言語ゲームを共有しない者のことでなければならず、したがって非対称でなければならない、というような主張の他者論である。[35]このような柄谷の関心は『探究Ⅱ』（一九八五〜一九八八）にまで続いていたが、『探究Ⅱ』の「コミュニケーション」概念はより広い意味になった。例えば、ソシュールの「言語体系」が「交通」と違う共同体的なものであるのに対して、ウィトゲンシュタインの「言語ゲーム」は規則を異にする相手（他者）とのコミュニケーションにおける「交通」であると指摘した。[36]

前述した通り、『探究Ⅰ』『探究Ⅱ』は、柄谷が当時の欧米現代思想を頼りにしながら自分の思想構築の可能性を探究するための探究にほかならないがゆえに、その可能性を手にすると、柄谷はすぐに『探究』のようなタイトルを冠する本を書かなくなった。しかし、『探究』はいまでも柄谷の「代名詞」であるほど、日本において案外大きな読者層を有していた。多くの若い読者の、『マルクスその可能性の中心』を含む柄谷著書に対する関心は柄谷の「マルクス」というより、むしろ柄谷の理解を介しながら、当時知的な流行にあった、最新の「西洋」（特にフランスの現代思想）理解に向けられていたように思う。柄谷の日本での読みは西洋中心的な側面があることはここからも窺い知れよう。

『探究Ⅱ』においては政治思想というような広い意味での歴史をめぐる討論が分量的に増えはじ

めたが、このことは柄谷の言語また形式そのものからの離脱の意志を表明していると理解できる。そしてこの時期から「コミュニケーション＝交換」が初めて明確化されるようになった（『探究Ⅱ』第五章）。いろいろな意味において『探究Ⅱ』は部分的であれ、後年の『トランスクリティーク――カントとマルクス』（二〇〇一）を徐々に予告しはじめている著書でもある。この意味において『探究Ⅰ』と『探究Ⅱ』の間にはある種の飛躍、またはよい意味においての断裂がある。

『探究Ⅱ』にはところどころ柄谷のレヴィ＝ストロースの解読が見えているが、次の二点こそこの時期の柄谷における、人類学の示唆の重要性を物語っている。一つは、「贈与」という人類学の示唆を『探究Ⅱ』の最終章「贈与と交換」において論じはじめたことである。もう一つは、この章こそ柄谷のレヴィ＝ストロースの人類学論であるが、このころの柄谷の「贈与」に対する認識はまだ全面的だとは言い切れないにせよ、柄谷自身の「歴史」への回帰前までの段階的成果を物語っている。歴史的世界的な「レヴィ＝ストロース」を次の柄谷の引用からも窺うことができる。「レヴィ＝ストロースは単純な構造主義者ではない。彼は、未開社会も《歴史》的であり、したがって交通空間に属していることを忘れたことがない」、と[37]。

広い意味での「コミュニケーション／交通／交換」について、例えば柄谷は近年の『帝国の構造』（二〇一三）において再び「交通」の概念を呼び戻し、「交通＝交換を広い意味で使いたい」と述べている[38]。「交換／交通」というキーワードは『マルクスその可能性の中心』（一九七四年三月〜八月）においてすでに登場し、コミュニケーションの同意語として使っていた。このキーワードは柄谷の出発当初から思想体系の成熟と見なすべき『トランスクリティーク』と『世界史の構造』（二〇一〇）に至るまで一貫している。彼の体系が成熟するにつれて言語的な「コミュニケーション」がますます後退し、歴史的・社会的な「交換／交通」との同意語としてますます重要な意味を持つようになる。『世界史の構造』になると、柄谷は四つの交換様式から社会構成体の世界の歴史をとらえるようになったのでこの著書こそ間違いなく一番広い意味での「交換／交通」の彼における位置づけを説明できる。

近年の柄谷においては、マルクスを介してのカント回帰またその逆を通しての柄谷による政治思想の構築が見られている。柄谷の『世界史の構造』は『トランスクリティーク』から十年を費やした労作であるが、柄谷思想の展開を見ると、「テクスト的観念論」という自身の挫折を乗り越える上で立派な到達点である。すなわち『トランスクリティーク』以前の、テクスト的観念論の克服である。カントにシフトしてから、カントに着想を得た他者論によってどのように歴史を、特に政治思想史をグローバルに解明するのかという課題に応える思考がそこに生まれている。この到達点とは、柄谷の政治思想の登場、あるいは柄谷の資本、ナショナリズムとの結託にある国家学に対する批判的な思考の一定程度の完成である、といえる。

ここからは一九九六年以後の柄谷の仕事を、あえて「後期」とは呼びたくないが、比較的近年の「主著」を中心として議論を展開したい。「主著」とは『トランスクリティーク』（一九九八年八月から九九年四月連載、二〇〇一年単行本）と『世界史の構造』（二〇一〇）であるが、「近年」とは、この二書とそれに関わるほかの著書とその期間をも指している。この二書を主著とするのは、二〇〇一年以来のほかの少なからぬ著作が、この二書を準備し、その出版後に二書を祖述し、解釈し、補強する性格を持っているからである。そしてさらに重要なのは、『世界史の構造』は『トランスクリティーク』を最も発展させた著作でもあり、それを乗り越えているからでもある。

二書にいたる柄谷の著作活動を概観してみると、一九九八年「批評の視座　批評の『起源』――カント／マルクス」を『國文學』九月号に発表。そして同じ年に「トランスクリティーク」(『探究Ⅲ』)を『群像』九月号から連載(～一九九九年四月号)。一九九九年に『可能なるコミュニズム』を太田書店から刊行。二〇〇〇年二月『倫理21』を平凡社から刊行。六月エル大阪でNAM(New Associationist Movement)結成大会。十一月『NAM原理』(共著)を太田出版から刊行。二〇〇一年十月に『トランスクリティーク』を批評空間社から刊行[39]。これらの著書はNAM運動という(「運動」と呼ぶのも正直言っていささか大げさではあるが、あくまでも象徴的な)社会的政治的実践と交差していることが分かる。また、二〇〇六年四月に『世界共和国へ』(岩波新書)を刊行。同書をベースに、二〇一〇年に『世界史の構造』として発展させた。

個人的には、柄谷の著作全体から見て、この二書を彼の初期の名著である『近代日本文学の起源』(一九八〇)と並ぶ主著としたい。だからといって柄谷のほかの論文が重要ではないと言うわけではない。ただ単行本としての影響と意味を強調したいだけである。『近代日本文学の起源』がわれわれの「近代」に対する新しい解釈を与えてくれたとすれば、『トランスクリティーク』はカントを通してマルクスに新しい解釈を与えた。それだけではなくその逆も言える。マルクスに関してそれを一言で言うなら、伝統的マルクス主義の生産様式中心的な解釈ではなく、むしろ「交換」という視点から、われわれに過去（歴史）に対する新しい解釈（構造解明の試み）を与えようと試みたと同時に、未来に対しても――それが非常にユートピア的であれ――新しい展望を与えようと試みたものである。柄谷はこれをベースにして世界史の構造を解釈する際に、『トランスクリティーク』において十分に展開できなかった歴史的な部分と、政治哲学的な部分を補強した。私なりに言うならば、『トランスクリティーク』と『世界史の構造』という双璧は、「柄谷政治学」なるものを意欲的に構築しようとしたのである。

〈注〉

（1）中島隆博・馬場智一編『グローバル化時代における現代思想・香港会議』Vol.1（東京大学 UTCP <The University of Tokyo, Centre of Philosophy>,2013, pp.41-64）。本稿は日本語などについて馬場智一さんからコメントをいただいた。お礼を申し上げたい。
（2）柄谷行人『政治と思想１９６０－２０１１』平凡社ライブラリー、二〇一二、五六頁。
（3）柄谷、前掲書、六四頁。
（4）柄谷、前掲書、六三頁。
（5）柄谷、前掲書、六〇頁。

（6）柄谷行人『増補 漱石論集成』所収、三五二頁。
（7）柄谷、前掲書、三四四～三四五頁、三四八頁を参照。
（8）前掲柄谷行人『増補漱石論集成』に収録されている「漱石とジャンル」を参照されたい。
（9）ポール・ド・マン「時間性の修辞学(2)」保坂嘉恵美訳『批評空間』第2号、福武書店、一九九一、一〇一頁（Paul de Man: *Blindness and Insight: Essays in the Rhetoric of Contemporary Criticism*, Minneapolis: University of Minnesota Press , 1983, p.212）。
（10）前掲ド・マン論文、一〇二頁（Paul de Man: *Blindness and Insight: Essays in the Rhetoric of Contemporary Criticism*, p.213）。
（11）「笑いの本質について、および一般造形芸術における滑稽について」阿部良雄訳『ボードレール批評1・美術批評Ⅰ』ちくま学芸文庫、一九九九、二二七頁。
（12）柄谷行人『ヒューモアとしての唯物論』講談社学術文庫、一九九九、一四二頁。
（13）柄谷行人編著『シンポジウム［Ⅱ］』太田出版、一九九七、六八頁。
（14）「アイロニー」と「ユーモア」を同じ意味で使っていることは、欧米の現代思想の批評においてしばしば見られるものである。例えば、ド・マンの「イロニー」と「アレゴリー」との併用もドゥルーズの「イロニー」と「ヒューモア」との併用も、さらにカンデイス・D・ラングの「ポストモダン的イロニー」＝「ヒューモア」との併用なども然るものであろう（Candace D. Lang, *Irony/Humor*, The Johns Hopkins University Press, 1988）。
（15）柄谷行人『トランスクリティーク――カントとマルクス』、岩波現代文庫、二〇一〇、二二〇頁。
（16）同前、七五～七七頁。
（17）前掲森村修「理性の運命」（『現代思想・柄谷行人総特集』一九九八年七月臨時増刊号）、七一頁。
（18）柄谷行人『トランスクリティーク』、五五頁。
（19）柄谷のユーモアとフロイトとの関連については、柄谷の「漱石とジャンル」という論文においても言及された。前掲『増補漱石論集成』、二五二～二五五頁。

(20)「漱石と「文」」、前掲『増補漱石論集成』、二八九頁。
(21) 柄谷は「ファシズムの問題—ド・マン／ハイデガー／西田幾多郎」において、フッサールの「超越論的主体性」に関して、実存の問題がそこに出てくると指摘した。ここで「超越論的主体」と実存、彼の好んでいうタームの「外部性」とは相互置き換え可能なものとなろう（柄谷行人『言語と悲劇』講談社、一九九七、三四九頁）。なお、彼は「受賞の頃」（一九八二）というエッセイにおいて、「もし私に関して、「漱石試論」のころは言わば実存主義的だったがその後構造主義的になったと考える人々がいるとしたら、そして実存主義はのりこえられた古い思想傾向だというとしたら、わたしはむしろこういいたい。私は実存主義者であり、ただ構造的なもの・形式的なものをその厳密さの極限で自壊させようとしているだけだ、と」と述べた（柄谷行人『隠喩としての建築』講談社、一九八四、二九一頁、強調は林）。
(22) フランク・レントリッキア著、村山淳彦・福士久夫訳『ニュー・クリティシズム以後の批評理論（下）』未來社、一九九三、第八章「ポール・ド・マン——権威の修辞学」を参照。
(23)「著者から読者へ——ある気分＝思想」、柄谷行人『畏怖する人間』講談社文芸文庫、一九九〇、三七五頁。
(24) このような態度は柄谷の「個人」にも反映したとも言えよう。これについて合田正人が「吉本の議論が「個体」の「個体性」を前提としている感があるのに対して、柄谷にあっては、「個体」は明確な輪郭を失い、曖昧で、数多の関係性に引き裂かれていく、きわめて脆い、崩れやすい存在だった」と述べた。合田正人『吉本隆明と柄谷行人』ＰＨＰ新書、二〇一一、一二一頁。
(25) 柄谷行人「意識と自然」、前掲『増補漱石論集成』所収、六四頁。
(26) 同前、六〇頁。
(27)「著者から読者へ——ある気分＝思想」、柄谷行人『畏怖する人間』講談社文芸文庫、一九九〇、三七七頁。
(28)「断片」（「死語をめぐって」より一九九〇年一月）、前掲『増補漱石論集成』、五六四頁。
(29) 同前、五六四頁。

（30）同前、三八頁。
（31）柄谷行人『政治と思想１９６０－２０１１』、二〇一二、七一頁。
（32）柄谷行人『マルクスその可能性の中心』講談社学術文庫、二〇〇〇、二三六頁。
（33）柄谷行人『政治と思想１９６０－２０１１』、五九頁。
（34）仲正昌樹『ポストモダンの左転回』情況出版、二〇〇二、二〇九頁。
（35）柄谷行人『探究Ⅰ』講談社学術文庫、二〇〇〇、一一頁。
（36）柄谷行人『探究Ⅱ』講談社学術文庫、三五四頁。
（37）同前、三五四頁。
（38）柄谷行人『帝国の構造　中心・周辺・亜周辺』青土社、二四頁。
（39）以上の整理は柄谷行人の公式ウェブサイトにある年譜をも参照した（http://www.kojinkaratani.com/en/index.html）アクセスしたのは、二〇一三年一月十五日である。

第七章

柄谷行人の「世界史」論
――東アジア「礼」・「文」の思想と近現代ヨーロッパ思想の影響の視点から

第一節　「贈与」と「帝国論」から柄谷の『世界史の構造』を読解する

柄谷行人はその主著『トランスクリティーク――カントとマルクス』（二〇〇一）、そしてもう一つの主著『世界史の構造』（二〇一一）において、基本的に、社会構成体が複数の交換様式によって形成されているという観点で論を進めてきた。柄谷行人は、贈与（交換A）、掠奪と保護（交換B）、資本制交換（交換C）、贈与の高次元における回復（交換D、交換xとも）、という四つの交換様式から世界史の構造を説明しようとした。すなわち未開社会は交換Aの贈与、「帝国」は交換B、すなわち略取と再分配（支配と保護）に基づいているが、帝国主義は交換C、ことに商品交換（貨幣と商品）の資本主義にもとづき、共産主義を含む「x」とも呼ばれているような社会は贈与の高次元における回復に基づいている、という着想である。図で示すと図7−1のようになる。指摘しておきたいのは、彼は未開社会と原始社会を区別している。後者は交換A、B、Cが同時に併存しているのに対して、未開社会はAしかない。未開社会は部族間の交換があるとしても、それは多数の部族からなる共同体内部のものだからである。また、共同体と共同体の間に発生する国家は、共同体の間に生成する商品交換とは相補的である、と見た（柄谷『世界共和国へ』六七〜七一頁）。

B　略取と再分配 （支配と保護）	A　互酬 （贈与と返礼）
C　商品交換 （貨幣と商品）	D　　x

図 7-1
図は『世界史の構造』による [1]

柄谷の『世界史の構造』は、「帝国」と、その対照としてのネーション・ステート批判論、「帝国主義」論でもある。

また、『世界史の構造』は、その余論としての『帝国の構造——中心・周辺・亜周辺』（二〇一四）と同様に、西洋における「停滞したアジア」という解釈系譜を批判的に解釈しなおす広い意味での「アジア論」または「アジア的帝国論」でもある。柄谷は世界共和国というカント的理念に共鳴しながら、ナショナリズムを批判し、共産主義的な世界大同という理想をカント的な世界共和国に言い換えた（またその逆も可）。柄谷はカントとマルクスを融合するような形で未来への希望を再構築しようとした。

『世界史の構造』の貢献はほかならぬ近代批判を通して、現実的な可能性として、高次元での贈与精神を構築しようと試みたことである。彼はときどきこのような高次元での贈与（交換A）の再構築を新しい「普遍宗教」の再構築とでも聞こえてしまうかのように論述している。もちろんこの場合の「宗教」とは、彼が大きく依拠したカント的意味で言っているものである。すなわち、宗教は倫理的である限りにおいて肯定されるべきだ、ということにおいてである（これはカント自身の表現というよりは柄谷の解読である）(2)。

交換様式Aの高次元における再来という柄谷の「宗教」とは、すなわちコミュニズムや、社会主義、アナーキズム的アソシエーショニズムなどの「交換様式D」（交換Xとも）である。このユートピアについては、一方では、彼は、エンゲルスの『ドイツ・イデオロギー』の草稿にマルクスが「僕らが共産主義と呼ぶのは、〈実［践的な］〉現実の状態を止揚する現実的な運動だ」と書き加えたことを強調した(3)。ここにある「現実の状態」の「止揚」に基づいている「現実的な運動」としての「共産主義」が重要である。というのは、この強調はオーソドックスなマルクス主義の目的論的解釈を斥けたからである。と同時に、未来への安直な約束は別として重要なのは国家権力などを否定する現実改革とその実践と関連させる「マルクス」となるからである。

いずれにせよ、信につながるユートピアがあるかないかによって世界の状況は大きく変わる。それは倫理的である限りにおいて肯定できる宗教があるかないかによって世界が大きく変わるのと同様である。これこそが柄谷が今日世界的な範囲において読まれている日本の思想家となっている最大の理由であろう。

第二節 「贈与」と柄谷の平和についての思考──「礼」または「文」との関連

ここで上で述べた交換Ａ（贈与）と交換Ｄ（高次のレベルにおける贈与の回復）において柄谷が依拠してきた、フランスの人類学者マルセル・モースの『贈与論』（一九二五）に平和思想との関連で簡単に触れたい。

柄谷は、モースにおける贈与と権力について、「通常、権力は暴力にもとづくと考えられる。だが、それが妥当するのは、国家の共同規範（法）に関してだけである。たとえば、掟が働く共同体の内部では、共同規範を作動するために暴力を必要としない。暴力とは異質な強制力が働くからである。それを、贈与による権力と呼ぶことにしよう」と、述べている（『世界史の構造』、一八～一九頁）。

そして、贈与、暴力と権力との関係について柄谷は、「贈与することは、贈与された側を支配する。返済しないならば、従属的な地位に落ちてしまうからだ。ここでは暴力が働いていない。むしろ、一見すれば無償的で善意にみちたものであるようにみえる。にもかかわらず、それは暴力的強制以上に他人を強く制する」とモースの『贈与論』を解読している（同前、一九頁）。

柄谷が対比しているのは、互酬性にもとづく強制力と法の暴力的な規範的強制力である。すなわち国家権力が体現されるのは主には法という暴力的強制力においてである。それに対して、贈与を通して獲得した権力は暴力とは相対的には距離が大きい。むしろ、贈与にもとづく権力は暴力にもとづく権力と比べれば、実際はより有効でありソフトな権力としてより強制的になる。贈与のゲームから離脱しようとする破壊者が出る場合、贈与の連環に連れ戻すために暴力的報復に訴えることはありうるが、その根本は贈与の秩序の回復にある。

モースの贈与論自体は、彼の人類学者・社会学者としての専門上の関心に由来するだけでなく、彼のヨーロッパの政治的経済的現実に対する思考とも深い関係にある。経済的には、もちろん当時ヨーロッパにおける資本主義経済に対する批判と関わっている。贈与ほど市場経済の交換と対立するものはないからである。政治的にはモースの『贈与論』が書かれた社会的政治的背景に、第一次世界大戦におけるヨーロッパ的な互酬性の崩壊に対する応答があった(4)。

このような政治的な関心は、たとえばモースの『贈与論』結論における総括から窺える。

社会が発展してきたのは、当のその社会が、そしてその社会に含まれる諸々の下位集団が、さらにその社会を構成している個々人が、さまざまな社会関係を安定化させることができたからである。すなわち、与え、受け取り、そしてお返しをすることができたからである。交わりをもつためには、まずはじめに槍を下に置くことができなくてはならなかった。そのときはじめて、財や人は交換されるようになった。それも、たんにクランとクランとのあいだでだけではなく、部族と部族とのあいだで、さらには民族と民族とのあいだで、そして——とりわけ——個人と個人とのあいだで、交換されるようになった。そうなってようやく、人々は利益となることどもを互いにつくり合い、互いに満たし合うことができるようになったのだし、最後には武器に訴えることなしにそれらを守ることができるようになったのである。このようにして、クランにしても部族にしても民族にしても、互いに殺し合うことなく、けれども対峙し合うことができるようになった。互いに相手の犠牲となることなく、けれども与え合うことができるようになった。そしてまた近い将来、文明世界と言われるわたしたちの世界においても、諸階級や諸国民、そしてまた諸個人は、そうできなくてはならない。ここにこそ、クラン・部族・民族の英知と連帯の不変の秘訣の、その一端があるのである。(5)

この結論から見ることができるのは、モースが共同体と共同体、そして個人と個人の間の倫理としての「贈与」について論じているということである。そもそもレヴィ＝ストロースがその『親族の基本構造』において外婚制において女を「外部」へ贈与することで近親相姦を禁止するという結論からも伺えるように、贈与はつねに「外部」へ開かれるための知恵である。

とりわけ、モースは贈与を平和主義のための「理性」とまで見た。「理性を感情に対置すること。平和への意志を、上に述べた類の突発的な狂乱に対置すること。どの民族もこうすることによって、戦争と孤絶と停滞にかえて連盟と贈与と交際を得ることができるのである」とモースは述べている（『贈与論』、四四九頁）。「贈与」というモースの語った理性について人類学者のサーリンズは、「贈与がいまや《理性》なのである。贈与は、おろかな戦争に対する、人間理性の勝利にほかならない」、

と礼賛した。(6)

こうしたモースの『贈与論』に対して、中国をはじめとする漢字圏国家の思想と歴史にある程度の知識を持っているものであればすぐに「礼」またはその関連にある「文」という概念を思い出すだろう。モースは『贈与論』の終りにおいて、まさに東アジアの「礼」や「文」を連想させるようなことを論じている。

同時に見てきたのは、この研究が具体的な研究であって、習俗の科学を通じ、社会科学のある一翼をなすにいたるのはもちろんのことながら、さらに加えて、倫理に関する諸結論を導く可能性があるということである。倫理に関するというのは、古いことばを蒸し返すなら「礼節《シヴィリテ》」に関すると、そして今風のことばで言うなら「市民意識《シヴィスム》」に関すると、むしろ言うべきかもしれない。(7)

上の「礼節」の原語はcivilité、「市民意識」はcivismeである。(8)ここにこそモース的「贈与」が、「文」や「礼」という東アジア固有の重要な思想的概念と関連していることをわれわれは確認することができよう。ちなみに中国の思想的概念の「文」を無理やりに英訳すれば、writing/ culture/ civilityであろうが、「文治」はcivic rulingである。中国思想において「文」は礼（rite, civility）と同じものではないが、相通じる部分がある。(9)

この意味において贈与とは、ほかならず「礼」または「文」の「武」に対する優位、「礼」または「文」の「武」に対する抑制に繋がっている。「贈与」または「礼」／「文」は、平和的な個人関係や平和的な部族間関係、平和的な民族間関係に導くことができる、ということである。「贈与」は共同体内部の倫理でありながら共同体を乗り越える「間」の性質もあるがゆえに、柄谷がカント的「世界共和国」に依拠しながら自分の平和主義的な思想を構築する際に重要な手がかりとなったのである。西洋的教養の持ち主である柄谷自身は、おそらく十分自覚していないにせよ、彼は贈与を中国思想の再解釈の契機として、特に「礼」／「文」という忘却されてしまった理念を呼び覚ます契機として、我々に与えているのである。本章はむしろ柄谷の議論を東アジアの政治的法的倫理的概念としての「礼」と忘却された批評概念としての「文」により近づけながら補いたい。

第三節　贈与論的視点における柄谷の中国王朝についての議論

周知の通り、中国思想においては儒家と道家の対立、そして儒家と法家の対立がよく言われている。法家と儒家との対立には柄谷はあまり論及していないが、贈与を共通項に彼は儒家と道家とを次のようにとらえようとした。

「無為」とは、「為」を否定することです。「為」は、いわば、力による強制を意味します。ど

> のような力か。一つは呪力による強制であり、いいかえれば、氏族社会の伝統である互酬原理です。もう一つは武力による強制です。（中略）無為とは呪力と武力に頼らないことです。「思想」の力が成り立つのは、そこにおいてです。また、そのかぎりで、思想家が力をもったのです。
>
> 孔子は暴力を否定し、「礼」と「仁」による統治を唱えました。（『帝国の構造』、一〇五頁）

柄谷のこの発言は、近代の国民国家を否定的にとらえ、近代批判の立場で前近代の帝国をよりポシティヴに取り上げている文脈にある。ここで柄谷は、老子的「無為」であれ、儒家的「仁」「義」であれ、ほかならず贈与に基づいている、と言っている。ただし、人間に欲望や利己心がある以上、孟子思想のような自己犠牲による贈与の精神による「仁義」はあまりにも理想主義的になる。

非強制的で、低い姿勢を取り、柔軟性を貴ぶことは、老子的政治学において核心的なものである。このような性質を有しているのは、老子から見れば、水がそうである。老子は、「上善は水の若《ごと》し。水は善く万物を利して争わず、衆人の悪《にく》む所に処《お》る、故に道に幾《ちか》し」と言っている[10]。常に低い位置づけを選ぶ「水」こそ贈与の力であるがゆえに、強い力となる。別のところで「柔弱は剛強に勝つ」と老子が強調している通りである[11]。また、老子的な無為とは、最大限度不干渉を以って統治するという政治思想であり、国家権力の社会への関与を極力避けるということである。これも一種の「贈与」に基づく権力と解してもさしつかえなかろう。

次に、儒教倫理と贈与とを結びつけて考えよう。儒家の出発点においては個人の倫理の自己育成に基づく家族の倫理があり、さらにそれを社会的な贈与へと拡大し、ないし共同体を超えて普遍的に拡大してゆく思想がある。これは、例えば「修身、齊家、治国、平天下」（『礼記・大学四十』[12]）、または「吾《わ》が老を老として、以て人《たにん》の老に及ぼし、吾《わ》が幼を幼として、以て人《たにん》の幼に及ぼさば、天下は掌《たなごころ》に運《めぐ》らすべし」といった主張に見られる（『孟子・梁恵王章句上』[13]）。「仁義」という儒家的主張の根幹は、まさに贈与という観念にもとづくものとして見ることができる。これについて司馬遷がその友人任安への書簡において、「士」または「君子」としての五つの特徴について「身を修めること」、「施すこと（贈与すること）を愛する」、「恥を知ること」、「名を立てること」を挙げたことからも伺える[14]。

儒家的な「贈与」は批判儒学にある批判性からも伺える。「批判儒学」とは、日本では中島隆博などの中国哲学研究者が儒学に内在する批判性を強調する用語である[15]。日本思想史の子安宣邦などもそのような主張者である。暴力から倫理性を守ることが贈与に繋がっているからである。たとえば、孟子は君主が天命に基づいて統治するべきだと見て、徳を失った君主に対しては「放伐」また「革命」という暴力を通して交代させるべきだと主張している[16]。ここに孟子が革命という暴力を肯定したことは正しく仁義または贈与的支配を呼び掛けていると理解すべきである。孟子にとって、放伐や革命こそ贈与の義務（徳）を裏切った君主を止める暴力である。民を苦しみから救う革命者こそ、贈与という仁愛・倫理に基づくものである。

柄谷も「仁徳」が中華王朝の支配構造にとって持つ意味に注目しながら、次のように言っている。

> 西ヨーロッパでは、絶対主義王権においてはじめて、王が臣民を保育するという観念が出てきたのである。しかし、そのような「福祉国家」の観念はアジア的国家においてはありふれている。中国では漢王朝以後、専制君主の支配は儒教によって基礎づけられた。すなわち、専制君主は、武力によってではなく、仁徳によって統治する者（君子）とみなされる。すべての臣民を、官僚を通じて支配し、管理し、配慮し、面倒を見る、それが専制君主なのである。（『世界史の構造』岩波現代文庫、二二二頁）

やや単純な理想化された書き方ではあるが、相対的には間違いでもない。それはいままでの「停滞したアジア」像を相対化しようとする柄谷の性急さに由来するものであろう。というのは、「仁徳」は贈与に基づく以上、支配側の階級利益を隠蔽する言説・イデオロギーにもなるからである。また法的には連座制を通して、法家主義的な側面が儒教の温情的な側面と二人三脚で連動しあっている。この意味において連座制はマイナスな「贈与」でもあり、政治統治における儒家と法家の両面から中国の歴史を見なければならない。「王が臣民を保育する」ことは、儒教的政治体制の正当性（legitimacy）を保障するものであると同時に、経済的な略奪である税を保障する前提でもあるからである。柄谷の言っている「絶対主義」とは一六世紀から一八世紀にかけてヨーロッパが封建制から近代国家に発展する過程において出た政治形態である。それまでの封建制の「保育」について辞書にある教科書的な説明とは次のようなものである。「封建制という社会制度は、ヨーロッパ中世に存在しており、そのような制度において人々は貴族から保護されるが、その代償として貴族のために働き、戦闘しなければならない」（*Oxford English Dictionary*）。言い換えれば、封建領主の「保護」する「民」は労働力であると同時に戦闘員でもあることが義務付けられたのである。そのような「封建」は秦以後の中国にはもちろんない。

　漢の武帝の時代は儒者董仲舒の建言を導入することで、老子的政治思想から儒教の国教化に転換した。儒教が漢代において国教となれたのは、後の三国時代において儒教が弱くなったことに照らせば分かるように、統一した帝国を維持するのに重要であるからである。儒教は、老子思想による消極的な贈与と比べれば積極的な贈与とでも言える。漢の武帝の改革は秦の法家的法治主義の失敗をベースにした儒教化である。実際に漢武帝以後の中国王朝は法家を排除したわけでは全くない。国家である以上、法は無視できないからである。『漢書』に記してあるように、そもそも漢の高祖が政権を取って間もないころから、「相国の蕭何《しょうか》は秦の法から時代に合うような適宜なものを選んで採用し、律法の『九章』を作った[17]」。相国、すなわち宰相に当たる蕭何（?―前一九三）の『九章律』は戦国時代の魏の李悝の法経から秦の商鞅《しょうおう》（?―前三三八）の六律を継承したものである（九章とは具体的な法律としての九編のことである[18]）。ここに贈与のシステムと、礼と法の関係という複雑な問題が入ってくるが後述したい。

他方、中国の「礼」の思想を人類学的に考察してきたマイケル・ピュエットによれば、戦国末期において高度に軍事化され支配的になる列国という現実においては、孟子思想の不十分さが明らかとなった。これを解決するために、荀子のような、ある種の規範意識による「礼」に基づく思想が登場するのである。孔子のみが人々をよくするために「礼《リチュアル》」に基づく訓練こそ一番重要であり一番基本的であるということを理解していると荀子は信じていたが、その荀子こそ孔子の「礼《リチュアル》」を最大限度拡張し、再構築した(19)。このような文脈においてピュエットは、柄谷のように老子的「無為」を高評するより、むしろ荀子の「偽」＝「人為」こそ世界に秩序／パターンを能動的に付与する思想だとして高評した。ピュエットの解釈ではこの荀子的「礼《リチュアル》」の「偽」をartificeという英語に言い換えて荀子の「礼」中心の思想を展開させた。ピュエットによれば、荀子の「礼《リチュアル》」こそ人々をよりよい人間にするものだけでなく、世界によりよい秩序を付与する「偽《アティフィス》」であると評価した(20)。ただし仁愛のような贈与は往々にして「礼《リチュアル》」によって実現されるという意味においては必ずしも矛盾するようなものではなかろう。紙幅の制約のため、この複雑なテーマは簡略にとどめたい。

第四節　「資本＝ネーション＝国家」から「言語＝資本＝ネーション＝国家」へ

——三位一体から四位一体へ——「文」という視点

ここで筆者が「文」と「礼《リチュアル》」を持ち出したのは、柄谷が大きく依拠していた人類学的「贈与」との関連のためだけではない。特に「文」はまさに広い意味でのコミュニケーション（交換／交通）であるという意味において、柄谷の近年の思想の根幹部にある「交換」を見直すのに重要であると考えているからである。柄谷は『トランスクリティーク』から、「資本＝ネーション＝国家」の三位一体の方法論的視点で社会構成体を研究し、数十年来におけるマルクスの思想を再解釈する際に忘却された経済という視点を再び導入した。とは言え、生産の重視ではなく、流通／交換の重視である。その理由の一つとして、例えば生産様式＝経済的下部構造という概念は資本制以前の社会に適用できないからである。それはむしろ互酬交換で説明することができる（『世界史の構造』六頁）。他方、柄谷の「資本＝ネーション＝国家」の三位一体の式は、私見では、資本＝言語＝ネーション＝国家という四位一体であるべきではないか、と補足したい。

まず、言葉はマルクスの言う「交通」と深い関係にある。言語（言葉）は商品とともに流通される。ちなみに貨幣（currency）という英語はラテン語の currentia を語源とする言葉であり、流れ（current）、つまり流通するという意味が内包されている。言葉も同様に流通し旅をするが、言葉と貨幣は無関係ではない。社会言語学的に見ても、資本の力と政治の力によってある特定の言語に力が賦与され、それによってその言語が強い流通力を有するようになることはしばしばある。他方、言語も逆に資本と政治にある種の反作用を有している。前者の例としては商業広告（言葉）がそうであるように、言葉も商品・資本の流通を促進している。後者の例としては、あるイデオロギー

（言葉）が国家権力を支えたりまたは国家権力に反抗したりするのに貢献する。

フランクフルト学派によって代表される新しいマルクスの解釈は、文化、言語などの上部構造の能動性を評価し、それまでの経済（下部構造）のみで解釈する正統派マルクス主義を批判してきた。柄谷は、フランクフルト学派と同様に自分自身もフロイトの心理学、ウェーバー宗教社会学などをそのマルクス解釈とカント解釈に導入したが、同時にフランクフルト学派などは経済という視点をただ単に棚上げしようとしてきたと批判した（『世界史の構造』、六頁）。

しかし、柄谷の仕事にとって経済的視点と言語的視点は二者択一的なものではない。柄谷の著作、少なくとも『トランスクリティーク』以後の著作は経済的な視点の重視と上部構造の能動性の重視とは矛盾したものではないことを説得力のある形で証明した。例えば、彼は資本制を「物質的」であるどころか、信用にもとづく観念的な世界」だと見た（『世界史の構造』八頁）。後者は言語に関係するものに他ならない。したがって、柄谷の主張したような、「資本＝ネーション＝国家」の三位一体という方法論的視点を取るよりも、「言語＝資本＝ネーション＝国家」の四位一体という方法論的視点を主張してもよいのではないか、と私は考えている。ベネディクト・アンダーソンの『想像の共同体』（*Imagined Communities: Reflections on the Origin and Spread of Nationalism*, 1983）も実際、言葉（出版資本主義、ナショナリズムというイデオロギー）がネーション＝ステート、特にネーションを作ったことを力説した。柄谷も似たように、『世界史の構造』において一八世紀後半のヨーロッパ思想史における想像力の地位の上昇がネーションの感情の形成と不可分な関係にあることを説いたが（第三部第三章）、感情であれ想像力であれ、言葉という媒介を抜きにしては可視化できないがゆえに公共空間で「交換」できないものとなる。理論的にはイデオロギーは広い意味において言語的なものでなければならない。

マルクス主義的に見るならば、アンダーソンの貢献は、上部構造としての出版や文化などがネーション・ステートを「想像」／構想（imagine）し、構築することを論証し、オーソドクスなマルクス主義を相対化することができたことにある。しかし、アンダーソンは、フランクフルト学派がそうであったように、上部構造の能動性を有効に表明し証明する過程において経済という視点をどうしても軽視せざるを得なくなってしまった（彼の出版資本主義の分析は資本主義全般についての理論的分析ではない）。これに対して、柄谷の貢献の一つは、フランクフルト学派や、アンダーソンなどからの示唆を生かすと同時に、「資本＝ネーション＝国家」の三位一体によって経済という視点を交換／流通重視の形で再度導入したことにある。

繰り返し言っているように、言葉はそもそもネーションとステート、ないし資本とは深い関係にある。言葉の流通も資本の流通も国家（政治）の力との関係において進行され、そしてそれによって左右されることが近代以来ほとんどである。柄谷がネーションとステートとの結婚が異質なものの結婚であると指摘したように、言語と資本の結託も異質なものの結婚である。言葉（言語）はさらにネーションとも、ステートとも結婚する、という複数の異質な結婚がある。言い換えれば、「資本＝言語＝ネーション＝国家」の四位一体は、経済的な視点も言語的な視点も同時に介在することができるようになる。

言葉とステートとの関係を見ると、マルチチュードのような反抗者にとって、言葉こそ権力に対する抵抗を可能にする主な媒体である。特にインターネットの時代においては言葉で声をあげることが相対的により可能となっている（この点は今日の中国のセルフメディアの持つ可能性を見れば一目瞭然であろう。言葉はあまりにも影響力・波及力があるがゆえに権力との鬩ぎあいが常にある）。そもそもインターネットは米軍によって開発されたものだから、初めから国家が介在していたものではあるが、国家を脅かすものにもなりうる。他方、言葉とネーション、ネーションとステートとの関係を見るならば、ネーションはステートと言葉を通してのみ異質な結婚を実現することができるが、同時に言葉を介して乖離／離婚も可能となる。この場合、反国家権力的なナショナリズムとなる。どのような理由であれ、国家権力とその結託にある資本権力は、つねに言葉の力に敏感的でありつづけてきたことは明白である。一言語は一民族（ネーション）に内包されるという発想は近代的な営みにすぎず、現実には民族と言語は区別されなければならない。むしろ、時には一言語が成立してから一ネーションが生み出されるのだ。

柄谷は言語的な視点をもちろん忘れてはいない。むしろ彼は一貫して高度に言語を重視しているのである。しかし、他方、社会的構成体の歴史を説明するうえで、フランクフルト学派などのような、上部構造の自律性を強調する流れとの違いを意識しすぎたせいか、「資本＝ネーション＝ステート」の三位一体を方法論的視点として示唆的に提出したものの、「言語＝資本＝ネーション＝

ステート」の四位一体を方法論として主張するには至らなかったのである。特に柄谷は東アジアの「帝国」論としては、漢字と帝国との関連や、近代日本における漢字の抑圧による音声中心主義の問題を十分注目し、特に音声中心主義の問題について画期的な議論をしたが[21]、広い意味での「文」の視点とその重要性を十分意識し自覚しているとは言い難い。本章でこの四位一体の「言語＝資本＝ネーション＝ステート」を強調したのは、それが「文」という忘却された重要な批評概念の再来の契機でもあるとともに、柄谷に本来あるはずの言語論的視点を再強調し、彼の議論を東アジア的歴史と現実において生かしたいからでもある。歴史認識の問題、「戦後」の問題こそ「文」の問題でもある。柄谷の議論は「文」の思考者にとって通じるところが実に多い。

第五節　イデオロギー（言葉）とネーション＝ステート
——「言葉＝資本＝ネーション＝ステート」の四位一体という視点

「言葉＝資本＝ネーション＝ステート」の四位一体という方法論的視点の必要性を考える際に、ルイ・アルチュセール（一九一八—一九九〇）のイデオロギーと国家との関係をめぐる議論は補強的な意味を有していると思われる。アルチュセールはネーションと言葉との関係を論じ得ていないが、国家と言葉との関係については示唆的な論を展開させた。マルクス主義伝統における「国家」解釈について彼は、「マルクス主義の伝統は明確である。すなわち国家は、（中略）はっきりと抑圧装置として理解されている」と確認してはいる。[22]しかし、このような古典的な解釈とは別に、アルチュセール自身は、国家はイデオロギーの「装置」としての「国家」である、という斬新な論点を提起している。アルチュセールの考えは前の世代のマルクス主義者であるアントニオ・グラムシ（一八九一－一九三七）の考えの延長線上にある。グラムシは「国家」を警察、軍隊、議会、官僚体制、などの総体として暴力を通して階級支配を実行するのみならず、市民社会におけるヘゲモニーの総体による支配でもあると見た。ヘゲモニー支配とは学校、マス・メディアなどの文化装置による大衆の合意獲得を通してのイデオロギー支配によって支配を実行するものであると主張した。

ジャック・ビデはアルチュセールの『再生産について』への序文においてアルチュセールについて次のように解説している。

　アルチュセールは、上部構造の他の諸要素と並べてイデオロギーについて語る古典的なやり方を再検討するよう促し、イデオロギーを国家のイデオロギーとして国家のなかに構造的に含み込むことによって、マルクス主義の伝統的な問題構成を明確に覆す。彼の分析の大きな利点は、唯物論的実在論の地位、社会的存在論上の地位をイデオロギーに与えること、同時に、イデオロギーを「呼びかけ」として措定することから来ている。この呼びかけによって各人が、主体として、呼び出され、社会的に構成される。[23]

イデオロギーの「装置」としての「国家」は、伝統マルクス主義の国家理論の不足を補強するものであり、後者のそれは、「抑圧の装置」としての国家という解釈であった。アルチュセールの新しい解釈によってイデオロギーの「装置」としての「国家装置」に宗教、学校、メディアなどが加えられた。そして、イデオロギーを国家の「呼びかけ」として措定し、この「呼びかけ」によって主体が構築されるというアルチュセールの観点であるが、「呼びかけ」は根本的には言語的なものでもあり、言語的なものの営みを抜きにしては考えられない。ここにおいても言語と国家装置との関係が垣間見られている。

アルチュセールはイデオロギーについて二つのテーゼを提出した。第一のテーゼは、「イデオロギー＝想像的「表象」である。すなわち、宗教、道徳、法、政治などのイデオロギーが「世界観」であると言われているので、人々はこれらのイデオロギーの一つを真実として生きるが、実際大部分が想像的なものであるため、これらの世界観はけっきょく幻想を成している。[24] 第二のテーゼは、「イデオロギーは物質的存在をもつ」。[25] イデオロギーが観念ではなく、物質的存在をもつ、というアルチュセールの第二のテーゼは、「一つのイデオロギーはつねに一つの装置の中に、さらにはその装置の実践、あるいはその諸実践のなかに、存在する」が、この存在は物質的である。[26] また、イデオロギーは主体としての諸個人に呼び掛け、「主体によってしか、またさまざまな主体に対してしか」存在しない。[27]

イデオロギーが物質であるとは、イデオロギーが広い意味において言語的でなければならないこととも関わっている、と理解できる。言語が物質的であるという考えは、近代ヨーロッパの思想史においてアルチュセールが初めてではない。たとえば、ヴァルター・ベンヤミン（一八九二―一九四〇）は、「芸術（Kunst）」を「反省媒質の一規定」と呼んでおり、批評を「翻訳」として見て媒質《メディアール》を通じて不断に移行すると見ている[28]。また「言語はすべて、最も純粋な意味で伝達の〈媒質〉（Medium）なのだ」と見ている[29]。また、フォルマリストのミハイル・バフチン（一八九五―一九七五）も、新カント派のエルンスト・カッシーラー（一八七四―一九四五）も、そうである。バフチンはカッシーラーの問題意識を評価しながら、「カッシーラーによれば、観念は物質と同じように感知可能である」と見ているところなどにもそれが見られる[30]。アルチュセールはこれらの観点を再発展させたと見ることができる。

　アルチュセールはイデオロギーが持つ力はまさに個人を主体として構成し、社会関係を再生産するための手段であることを明らかにした。柄谷も言及したように、グラムシは、国家をブルジョア階級による支配のための暴力的装置として見る一般的なマルクス主義に対して、暴力的な強制である権力と、被支配者が自発的に服従するようにさせるヘゲモニーとを区別した。後者は、その成員を自発的に服従するようにさせる文化的イデオロギー形成の装置（家族、学校、教会、メディアなど）によって支えられている[31]。

　これはフーコー的にいう、ディシプリン（規律訓練）による権力の内面化の結果である。つまり国家とは単に暴力に基づいているのではなく、アイデンティティにも基づいているとも理解することができる。自分をある集団的な権力の一員として自発的にアイデンティファイすることは、ある種の心理的な行為ではあるが、本質的に人為的・言語的な営みの結果である。さらに重要なのは、ネーションこそ高度にアイデンティティに基づいているということである。

いずれにせよ、上の議論は、ネーションと言葉との密接な関係はもちろん、ステートと言葉との不可分な関係を強調する意図がある。そうであるがゆえに、国家権力は、歴史叙述、教科書、公共放送などなどに何らかの形で干渉しアイデンティティ形成に腐心するのである。また、資本もその過程において何らかの形で加担してくる。アイデンティティ形成の問題は主体／従属（subject）の問題に直結しているが、アイデンティティ形成こそ言語的なものでなければならないのである。

「国語」ほどその名の通り、言語とネーション・ステート、言語と資本などの関係を説明するものはない。これも「言語＝資本＝ネーション＝国家」の四位一体を説明するのに有効な視点であると指摘したい。中国の国語を含む、漢字圏のほとんどすべての国語は、その公敵が漢字であり、ないし漢字そのものである。これはそれまでの「帝国」に対して否定的な側面があるので、これも帝国とネーション・ステートとの生まれつきの緊張関係を言語的に説明しているといえる。漢文と漢文に基づいた所在国の「古文」はネーション・ステートの形成に不利だと見たからである。

柄谷によれば、ネーション＝ステートを資本＝ネーション＝国家として見るべきだというのは、資本主義経済（感性）と国家（悟性）がネーション（想像力）によって結ばれており、どれか一つを取ってしまうと三つから成っているボロメオの環が壊れてしまうことになる（『世界史の構造』、三五二頁）。カント的な用法においては、悟性は理性、感性の二つの認識能力の間に中間的位置を占め、感性によって提供される素材を純粋悟性概念あるいはカテゴリーにしたがって加工し普遍妥当的な認識にまで仕上げるものとされる。坂部恵のカント解説によれば、「悟性」は「一方で感性と有限的性格を共有し、他方でときに広義の理性に包摂されて、感性による束縛を超えた純粋な形の座としての性格を共有する」[32]。他方、「カントは感性にかつてないほどの高い積極性・能動性を付与し高い地位にまでもたらしたのである。この過程は、また、概念に像を与えて感性を悟性と媒介する能力としての構想力についてのユニークな思索をその一環として含む」[33]。柄谷の議論はまさにこのカント的議論に基づいており、「理性─悟性〈知性〉─感性」の序列または「悟性」〈知性〉の「理性」と「感性」の間の介在性・媒介性、そして「感性」の高い能動性を敷衍させた。

他方、想像力は言語化されることで初めて意味を持つようになる。言語的同一性とその美学化を通してナショナリズムを構築することがドイツロマン派の特徴の一つであるならば、近代日本の国語制度の設計者の上田万年（一八六七─一九三七）がまさにドイツロマン派の影響下にある。上田は「国語と国家と」という、一八九四年の洋行帰りの代表的な論説（『東洋哲学』一八九五年一月・二月）において、明治天皇を頂点としながら日本帝国の「臣民」（subject）を統合する大日本帝国という政治的「共同体」へのアイデンティティを強めるための「国語」を構想した[34]。上田はそのためにドイツロマン派的な、言語の共同体としての民族という感性的なレベルを導入しようとした。

言語＝資本＝ネーション＝国家の四位一体という筆者なりの視点は、以下の意味においても柄谷の資本＝ネーション＝国家の三位一体の視座を補強するものであると信じている。まず、柄谷の資本制社会についての解釈は生産ではなく流通／交通／交換を重視するものであるが、言葉も経済も交換のレベルにおいて考察されるものである。

次に、言語の視点は柄谷自身の全仕事を結び付けて考えることができるようになる。例えば、彼の早期の『マルクスその可能性の中心』（一九七四）も、『日本近代文学の起源』（一九八〇）における音声中心的な国語批判も、言語的な「文」という概念と接合して考察することができるようになる（特に後者がそうである）。「文」という漢字圏の思想的概念が柄谷の帝国論を補強するのに重要であることは明白であろう。さらに、「文」という概念の定義が『文心雕龍』（五〇〇年ごろ）に見られるように、現代の「文学」概念では説明が無理であり、さらに他の複雑な使い方が見られるが、この「文」こそ『世界史の構造』と『帝国の構造』において扱われた前近代の中国王朝の特質を考えるうえで極めて重要な概念であり、柄谷のアジア論、特にその東アジア論を見る際にも極めて重要な概念だと言える。紙幅の制約のため、この問題は別の機会に深め発展させたい。

〈注〉

（1）以上の四つの交換様式の整理は柄谷行人『世界史の構造』岩波現代文庫、二〇一五、八～一五頁による。

（2）カント自身にはその『理性の限界内における宗教』や『判断力批判』において似たような見解が見られてい

るが、そのままの表現は見当たらない。この点についてカント専門家の牧野英二先生にもご確認をいただいた。もちろん文責は筆者にある。

（3）マルクス／エンゲルス『ドイツ・イデオロギー』廣松渉編訳、小林昌人補訳、岩波文庫、二〇〇二、七一頁。〈　〉内は手稿で抹消されている部分である。強調はマルクスによる。

（4）James Clifford, "On Ethnographic Allegory" in James Clifford and George E. Marcus eds., *Writing Culture: The Poetics and Politics of Ethnography* (Berkeley: University of California Press, 1986), p.120.

（5）マルセル・モース『贈与論　他二篇』森山工訳、岩波文庫、二〇一五、四五〇頁。

（6）マーシャル・サーリンズ『石器時代の経済学』、二一一頁。

（7）モース『贈与論　他二篇』、四五二頁。

（8）Marcel Mauss, *Essai sur le don : forme et raison de l'?change dans les soci?t?s archa?ques* (Marcel Mauss, Sociologie et anthropologie, Paris : Presses universitaires de France, 1983) , p.279.

（9）先秦の「礼」研究者・佐藤将之の指摘によれば、「礼」の英訳は十を超えているが人類学的視点の影響により、近年の定訳は ritual となっている。佐藤将之『參與天地之治荀子禮治思想的起源與構造』台湾大学出版センター、二〇一六、一七〇頁。

（10）蜂屋邦夫訳注『老子』岩波文庫、二〇〇九、三九頁。

（11）同前、一六九頁。

（12）原文＝心正而後身修，身修而後家齊，家齊而後国治，国治而後天下平。『礼記正義』（宋本重刊、阮元校『十三経注疏』所収）、中文出版社、一九七四、三六二九頁。

（13）小林勝人訳注『孟子』上、五七頁。

（14）班固『漢書』「司馬遷伝第三十二」第九冊、北京：中華書局、二〇〇九、二七三五頁。『漢書』の引用は拙訳による。

（15）中島隆博『共生のプラクシス——国家と宗教』、東京大学出版会、二〇一一。中国研究者としては、例えば、張志強「經、史、儒關系的重構與〝批判儒學〟之建立：以《儒學五論》為中心試論蒙文通〝儒學〟觀念的特質」（『中国哲学史』、二〇〇九年第1期、一〇一～一一一頁）、など。

（16）岸本美緒は、儒家的革命論・国家論を念頭に、「正しい暴力とは何か」という問いを提起した。同「明末清初における暴力と正義の問題」、同『地域社会論再考——明清史論集2』研文出版、二〇一二、一四九頁。

（17）班固『漢書』「刑法志第三」第四冊、一〇九六頁。

（18）『晋書』「刑法志」の記載がこれについて詳しい。冨谷至『漢唐法制史研究』、五一～五二頁。

（19）Michael J. Puett and Christine Gross-loh, *The Path* (New York, London, Sydney and New Deli, Simon & Schuster Paperbacks, 2017), p.167, p.168. ピュエットの研究については中島隆博、石井剛両氏にご教示いただいた。人類学的視点におけるピュエットの研究については、中島『残響の中国哲学——言語と政治　増補新装版』（東京大学出版会、二〇二二、第十一章）を参照されたい。また、先秦の「礼」を巡って台湾大学の佐藤将之の、中国語と英語での系統的な研究は避けて通れない。

（20）Michael J. Puett and Christine Gross-loh, *The Path*, p.168.

（21）例えば、柄谷行人『定本日本近代文学の起源』（岩波現代文庫、二〇一二）では「音声中心主義」について次のように定義した。「音声中心主義は実際の音声を優位におくものではない。それは内的な音声（内言）を優位におくものである。要するに、意識が先にあり、それが外化（表現）されるという考えこそ、音声中心主義なのである。また、共同的な対話を斥け内向するのが音声中心主義である。」（『起源』、三三一～三三二頁注）

（22）ルイ・アルチュセール『再生産について——イデオロギーと国家のイデオロギー諸装置』西川長夫・伊吹浩一・大中一彌・今野晃・山家歩訳、平凡社、二〇〇〇、一一四頁。

（23）ジャック・ビデ（Jacques Bidet）「序文にかえて——アルチュセール再読への招待」、ルイ・アルチュセール『再生産について』、一五～一六頁。

(24) アルチュセール、前掲書、二五二～二五三頁。
(25) 同前、二五六頁。
(26) 同前、二五七頁。
(27) 同前、二六二頁。
(28) ヴァルター・ベンヤミン『ドイツ・ロマン主義における芸術批評の概念』浅井健二郎訳、ちくま学芸文庫、二〇〇一、一二五頁、一四一頁。
(29) ベンヤミン「芸術一般および人間の言語について」『ベンヤミン・コレクション1　近代の意味』久保哲司訳、ちくま学芸文庫、二〇〇七、九頁、一三頁。
(30) ミハイル・バフチン『マルクス主義と言語学――言語学における社会学的方法の基本的問題』、桑野隆訳、未來社、二五九頁（注）。イデオロギー理論を系統的に研究する于治中の指摘によれば、マルクス主義者のバフチンは新カント主義者のカッシーラーと一見関係がないように見えるが、実際カッシーラーから影響されている。この点について、于治中『意識形態的幽靈』、台北：行人出版実験室、二〇一三、一六二～一六七頁。
(31) 柄谷行人『トランスクリティーク――カントとマルクス』、四〇～四一頁、同『世界史の構造』、二七五頁。
(32) 廣松渉、子安宣邦、三島憲一、宮本久雄、佐々木力、野家啓一、末木文美士編『岩波・哲学・思想事典』、坂部恵「悟性」、五二六頁。
(33) 廣松渉他編『岩波・哲学・思想事典』、坂部恵「感性」、二八七頁。
(34) 安田敏郎「解説」上田万年『国語のため』平凡社、二〇一一、四二八頁。

終章　「戦後思想」と「現代思想」との間に
——戦争責任と東アジアという視点において

第一節　「戦後思想」から「現代思想」へ——長い「戦後」において

第二次世界大戦が終わると同時に、複雑な国際情勢により、「冷戦」の名によって一括された対立・紛争と実質的な熱戦（朝鮮戦争、ベトナム戦争など）が起こった。これらのこともあり日本の戦争責任、歴史認識の問題があいまい化されてきた。「長い戦後」という言い方がそのような複雑な真実とこの真実に対する異なる立場の人々の気持ちを表している。[1] 本書はこのような長い戦後における「戦後思想」と「現代思想」との断絶と連続を知識人思想史の視点から個別の読解を含めて描きだそうとしてきた。

「長い戦後」とは、長い時が経ってしまったにもかかわらず、「戦後」の感覚がつきまとっているという意味であり、それによる再出発の困難さのことだと理解できる。ただ例外なのは経済である。

日本が長い間、世界有数の経済大国であり、製造業のリーダーの一員として世界経済を仕切ってきたことは言うまでもない。戦後の最初の十周年である一九五五年においてすら、一人当りの国民総生産は戦前の水準に回復していた。

戦後初期における日本経済の増長は朝鮮戦争に負うところが少なくない。アメリカの軍需によって日本経済はいち早く回復することができた。いわゆる「朝鮮特需」によってできた「特需景気」である。アメリカの歴史学者であるジョン・ダワーによれば、「朝鮮特需」が日本にもたらした経済成果は二億三〇〇〇万米ドルにのぼり、その総額は一九四五年から一九五一年まで日本がアメリカから受けた援助の総額を超えた。一九五一年十二月に株価が一八〇％値上がり、朝鮮戦争の最初の八カ月において日本の鉄鋼の輸出が三倍も増え、造船と自動車工業が特に刺激を受けた[2]。ダワーの研究によれば、朝鮮戦争後もアメリカの特需は依然として続き、一九五四年から一九五六年まで軍事相関の特需経済が日本に総額一億七五〇〇万万米ドルの輸出の収入をもたらした（*Embracing*: 542）。

一九五六年に日本政府の経済白書は「もはや戦後ではない」という文言を記し、これはマスコミのキャッチフレーズになった。ただ日本経済企画庁編『経済白書』における「もはや戦後ではない」という表現はのちのキャッチフレーズ化されたような自信の表明ではない。むしろ「経済の回復による浮揚力はほぼ使い尽くされた」ということを慎重に強調していたのである[3]。いずれせによ、これらの経済成果は地政学的な側面に負うところもあり、客観的には日本は当時唯一エンジニアリングと技術の余力を有している国でもあったこととともかかわっている（*Embracing*: 542）。これも本土決戦を経ていなかったことに由来した。ただ「もはや戦後ではない」という言い方はのちの批判的な立場にある人々の目からはアイロニカルな言い方でしかない。なぜなら、すべての国の歴史認識・歴史責任の問題と同じように、「戦後」という問題は経済の問題のみではない。国際政治の問題でもあり、さらには倫理の問題でもあるからである。

戦後の日本の知識人にとっては「戦後思想」にはなお「方法としてのアジア」があったが、「現代思想」の時代において「方法としてのアジア」は「方法」としての意味すらなくなった。それにとって代わったものは「方法としての現代思想」ではなかろうか、とは本書の叙述の上で明確には言っていないかもしれないが、ふだん関係しないように思われてきた両者をここであえて関係づけて指摘したい。そこにこそ、批判的な戦後知識人と「現代思想」思潮のなかの知識人の連続性と断絶を同時に見ることができるからである。

戦後日本の知識人の最大の関心は新日本の再出発とそれにかかわる戦争責任の問題であり、また国家主義及び天皇制に対する批判である。リベラルな進歩的な知識人の代表である丸山眞男の論文「近代日本の知識人」にそのような問題意識が見えている。[4] 丸山眞男は、「「配給された自由」を自発的なものに転化するためには、日本国家と同様に、自分たちも、知識人としての新しいスタートをきらねばならない、という彼等の決意の底には、将来への希望のよろこびと過去への悔恨とが――つまり解放感と自責感とが――わかち難くブレンドして流れていたのです」と述べ、「知識人の再出発――知識人は専門の殻を越えて一つの連帯と責任の意識を持つべきではないか、そういう感情の拡がり、これを私はかりに「悔恨の共同体」と呼ぶわけです」と述べている（丸山、前掲書、一一四頁、一一七頁）。「悔恨の共同体」とは知識人が共同体として連帯することを呼びかけながらこの共同体が戦争を止めることができなかったことの悔しさ、さらに戦後の現実に対する危機意識を表している。

丸山用語にある「悔恨」と「共同体」とは不可分な関係にある。丸山の「悔恨」は、戦後、社会主義者、民主主義者と自由主義者の、ファシズムと戦争に抗してきた非転向コミュニズムへのコンプレックスの意識を表しているが、同時に共産党を含むそれぞれの戦争責任を認めることを通して共産党とともに、「統一戦線の基礎を固める」ためでもある。(5) 言い換えれば「悔恨」を共有することで戦後日本の知識人にある種の政治性と公共性を実現しようとした。それと似ているのは戦後日本の「民主」と「平和」などの用語にある政治的効用と道徳的な効用である。この点について小熊英二が指摘したように、一九四六年においては平和憲法第九条も新しい民族主義と道徳の基盤となっている。(6) 丸山の「悔恨共同体」のような言説もそれと同様に、戦後知識人が戦争を反省し、専制主義を批判して民主化に向かう過程においてある種のナショナリズムの役割を果たしていた。丸山の、「国家理性」に基づく市民社会的民族主義は戦前と戦間期における天皇制国家主義を基礎とするナショナリズムを否定する点において戦後のマルクス主義者とは同盟している。戦後日本のマルクス主義の中にも市民社会派的マルクス主義がいた。(7) 「悔恨の共同体」とは戦後日本の知識人が戦後の国家権力を批判する民族主義の別の表現として理解されるべきである。

本書において描いてきたのは一九七〇年代末以後における戦後知識人思想の一つの大きな変化であり、「空虚」とまで言えば大げさに過ぎるだろうが、「現代思想」が置かれているある種の政治的思想的文脈である。「悔恨」と「共同体」の意識が風化しはじめたのは、ポストモダン思想が日本で流行りだしたのとほぼ同じ時期であることは単なる偶然だと片付けるべきではない。これと連動して後者は東アジア不在の思想であることも無視できない。これに反発したのは「現代思想」であるが、形式的には「戦後思想」との連続において反発したのではなく、むしろその断絶においてである。とはいえ、「現代思想」の批判的な実践者は歴史認識と戦争責任の問題においてむしろ「戦後思想」を直接継承しているが、その規模と影響が「戦後思想」とはその比ではないことも認めざるを得ない。国際情勢の変化などの諸要素が日本の知識人思想の戦争責任と歴史認識の問題に影響を与えていることは指摘しなければならない。

第二節　国際情勢の変化と日本知識人の歴史認識

総じていえば、日本の戦争責任と歴史認識の問題に影響を与えるものに次の諸要因が挙げられると思われる。これらの諸要因は日本の知識人に与える影響が特に大きい。

まず、戦争責任問題に影響する最大要因の一つとして冷戦構造のなかの日米関係があることはいうまでもない。朝鮮戦争勃発後の一九五一年九月八日に日米政府が「サンフランシスコ条約」をベースに「日米安保条約」に調印し、さらに一九六〇年一月十九日にその修正版の正式な同盟条約（俗に「新安保条約」）に調印した。このことが日本の戦争責任問題に与えた影響は一番直接だと言っても過言ではない。これは一九四七年にアメリカでコミュニズムを封じ込める政策が確立し、このアメリカの戦略のなかでの日本の果たすべき役割が明確にされたことの産物である。(8) 新日本がここからスタートしたという点は重要である。このことはさらに朝鮮戦争によって実体化され、強化された。ここで言いたいのは、日本の戦後責任と歴史認識の問題は、日米関係、とりわけ米中関係などの大きな文脈のなかで考察されるべきだということだ。日本知識人の戦争責任問題に関する考察もそのような文脈において解読されるべきである。そうであるがゆえに、批判的な日本知識人の戦争責任問題・歴史認識問題に関する言論と実践には日米国家権力に対する一定の批判の意味あいを有していると理解できよう。

アメリカは平和憲法を通して日本の再軍備に縛りをかけると同時に、朝鮮戦争を契機に日本の再軍備の最有力の推進者となったことは周知のとおりである。一九五二年二月のアンケート調査によれば、四八％の回答者が再軍備問題について首相が嘘を付いていると見て一二％のみが首相の言っていることを信じた（John Dower, *Embracing*: 547; 邦訳三六九頁）。朝鮮戦争中においてアメリカは秘密裡に日本に三〇万から三五万人までの規模の軍隊を組織させようとした（*Embracing*: 548; 邦訳三七〇頁）。実質的には戦後日本は米国の朝鮮戦争と、そしてその後のベトナム戦争で「特需」経済を享受できた。これらの要素は日米関係と東アジア，日本の保守勢力とその対立面にいる革新派の戦争責任と歴史認識問題に何等かの影響を与えたであろう。

このような枠組において、一九六〇年から一九七〇年代まで戦争責任についての議論が「ほとんど見当たらなくなる」空白期となっているという指摘がある。[9]「戦後」にとってこの十年間は短くない。ただ厳密な意味では知識人と革新派市民による平和運動はずっと続いていた。一九六五年四月に「ベトナムに平和を！市民連合」（「べ平連」）が哲学者鶴見俊輔（一九二二―二〇一五）、文学者小田実（一九三二―二〇〇七）を中心に展開していた。この固定的な組織と会員制度のない市民反戦運動は、形式的には二〇〇四年に成立した平和憲法を守る「九条の会」と似ている。実際鶴見俊輔も小田実も「九条の会」の九名の発起人に含まれている。[10]「べ平連」の特徴の一つは丸山眞男を代表とする戦後思想家のエリート主義を克服したことである。[11]この特徴は「九条の会」によって継承されたともいえる。

一九六〇年から一九七〇年代まで戦争責任をめぐる議論が低調なのは、東アジアにおける冷戦と熱戦の事実によって決定されたものであるといえなくもない。このことは、一九八九年から一九九一年までの間に冷戦の情勢において東側の陣営が解体したことが日本の戦争責任についての議論の分水嶺になったことからもうかがい知れる。その後、韓半島で分断された南北朝鮮が一九九一年九月十七日に同時に国連に加盟した。その前の一九九〇年に旧日本軍における韓国人慰安婦の存在が初めて告発され、一九九一年に訴訟が起こった。これをきっかけに中国、フィリピン、オランダなどに残存した元従軍慰安婦たちの抗議の連鎖があった。これらの戦争犯罪が遅ればせながら公にされたのは冷戦における対立と双方の利害関係によって抑圧されていたためであるという指摘がある[12]。ただ注意すべきなのは、日本知識人の支援において、慰安婦問題はネーション・ステート的枠組みにおいて展開されたのではなく、普遍的な人権問題として論じられたという点である。この点は「戦後思想」とはやや違うものである。これこそ日本文脈にある「現代思想」の批判的知識人に対する影響として見ることができよう。

戦争責任問題に影響する要因のもう一つは、韓国、中国経済の勃興によって日本のアジア経済における主導権が相対的に弱体化したことである。特に中国の経済・軍事の発展はアメリカのグローバル戦略における日本の位置づけに変化をもたらし、日米関係の強化が必須となった。日本の支配層もこれを利用してさらなる保守化を求めようとする。他方、経済的にも軍事的にも台頭する中国の存在は、日本知識人の中国認識を変え、アメリカに対する敵意もそれによって変わることも想像される。総じていえば、戦後日本の知識人の米国認識と中国認識は連動関係にあるという点は無視できないであろう。「アメリカ」を語ることなしに戦後日本の「中国」認識を語ることができないことは事実と言わざるを得ない。

戦争責任問題に影響する要因のもう一つは、よく指摘される日本国内の「五五年体制」の変化である。すなわち一九五五年十月十三日に「サンフランシスコ講和条約」に対する見解の違いで分裂した日本社会党左派と右派が再び連合し「護憲・革新・日米安保条約反対」のスローガンを掲げた。これに対して自由党と民主党が危機意識の共有によって同年十一月十五日に自由民主党（自民党）

に合併し「改憲・保守・安保条約擁護」を主張した。以来、長期にわたり自民党が政府与党として国会議席の三分の二を占め、社会党及日本共産党等が残りの三分の一の議席を維持してきた。この「保守対革新」の構図が一九九四年六月に自民党と社会党の連立政権によって解体されはじめたことは周知の通りである。「五五年体制」の解体は主として革新側の弱体化を特徴とした。この変化のなかで保守側はもともと明確な政治的立場のない一般大衆に対する影響力を強めるようになった。と同時に、森政稔は、アメリカの知識人にも見られたように、日本においてもリベラルないし左派知識人が革新勢力に幻滅を感じた後に新保守主義に後退するようになる「知識人の保守化」が見られるようになり、そして現在の日本では「保守的な思想傾向が地歩を固め、物事を考えるうえでの基本となっているともいえる」と指摘している。(13) かくして上の諸要因の総合が日本知識人の戦争責任、歴史認識問題に影響を残した。

戦争責任・歴史認識問題の風化をポストモダン理論の流行にのみ還元することはもちろん偏っている。しかし、ポストモダン理論が流行り出したのが上のような雰囲気の中であったことは偶然ではない。それは知識人思想史的に見てある種の変化の兆候であった。しかし、歴史認識問題、戦争責任問題こそ「戦後思想」の核心にあった問題だとすれば、ポストモダン理論の流行と日本政治の保守化との間に何らかの関連がないとは言い切れない。これこそ日本文脈にある「現代思想」の問題意識の所在である――如何にして新しい理論を以て上の世代の「戦後思想」の使命である戦争問題を反省し、立憲主義、民主主義と平和主義の諸成果を擁護するか、である。

第三節 「中国」／「アジア」がもはや「方法」でなくなった時
――「現代思想」、歴史認識と中国・「アジア」認識の問題

本書は以上のような歴史的な経緯を念頭に置きながら「戦後思想」の影響力が弱くなり，ポストモダン思潮が台頭した八〇・九〇年代以後の知識人思想を浮き彫りにしながら、日本知識人の戦争責任問題、歴史認識問題における変化を見ようとしてきた。締めくくりとしてアジア認識の問題について述べておく。

九〇年代初において世界的にマルクス主義の影響力が退潮するようになった。この現象はすでに六〇、七〇年代の西側の陣営において見られ、それにとって代わるものとして新マルクス主義があった。後者は教条主義的マルクス主義を疑問視した。と同時に、社会科学としてのマルクスは依然としてリベラルな知識人の間でその影響力を持ち続けてきた（前述の通り、丸山眞男がその典型である）。七〇年代、とりわけ八〇、九〇年代においてポストモダン思潮が日本において莫大な影響力を有するようになったことはこれまで述べてきた通りである。

西側の知識人の間におけるポストモダン思潮の流行自体はマルクス主義の影響力の弱体化と無関係ではない。しかし、同時に、批判的な知識人による「現代思想」の受容自体は、ある意味ではマルクスの思想の批判性・倫理性を新しい枠組みにおいて継承しようとした営為であったと理解する

こともできる。この点についてアメリカの日本史研究者のアンドリュー・バーシェイは日本マルクス主義経済学の代表である宇野弘蔵（一八九七―一九七七）に関連して「マルクス主義が必要としたのはよりよき科学ではなく、よりよき倫理だったのである」と指摘した[14]。この意味において現代思想の主張者は、かつてマルクスの思想に託した倫理性を新たな文脈において別の理論に見出そうと試みたのであり、「現代思想」はその帰結でもある、と見ることが出来る。

あるポストモダンの倫理性についての共著において著者たちは「ポストモダン時代を特徴づけるニヒリズム、すなわち価値、意味、目的の喪失といった仕方で語られるものは、近代の始まりの時期にわれわれが取り入れた「目的因（causa finalis）」と「徳（virtue）」の否定がその根源にある」と述べ、そして、「我々は、ポスト近代（モダン）の時代は、倫理的パラダイムを復権させる時代でなければならないと主張しようと思うのである」と述べた[15]。ここに日本知識人の問題意識が表れていることはいうまでもない。「倫理的パラダイム」を「復権」することは、もちろん前近代のパラダイムに戻ることを決してさしていない。近代以前の儒教的パラダイムがいくら倫理中心のパラダイムであるにせよ――現在の日本の知識人が理解している「儒教」とは近代的に解釈された、ないしイデオロギー的に歪曲された「儒教」である以上――前近代にそのような倫理的パラダイムがあるわけではないことは戦後日本の知識人の普通の「常識」であろう。結果的には「民族」「ネイション」「理性」「解放」などの近代的神話の解体は、より普遍的な「倫理」という概念を導入することをうながした。他方、今日、「左派」も「右派」も「人権」という概念をそれぞれの思惑において愛してやまないのは興味深い現実である。

しかし、現代思想の大衆乖離は単にアカデミックな性格に由来するものではない。これについて北田暁大は次のように述べている。

愛国左翼は戦後、一定の力を持ちづづけてきました。丸山眞男だっていまからみれば十分に愛国的です。ところがある時期から左派の問題意識のなかでナショナリズムが「否定されるべき悪しきもの」となってしまった。もちろんナショナリズムを肯定する必要はないのですが、単一民族神話を脱構築していくうちに、ナショナリズムになんとなく惹かれてしまう――朴訥とした愛国心を持つ――「大衆」との乖離が出てしまったともいえるのではないでしょうか。

九〇年代には、ナショナリズムの脱構築とともに、沖縄やアイヌ、従軍慰安婦など「他者」の問いかけに応えていくことが左派にとって重要な課題となってくる。(16)

「戦後思想」においてナショナリズムは、リベラル左派もマルクス主義者も共有する枠組みでもあり、両者とも「民族」という集団的概念に基づきながら進歩主義理念を信奉してきた。日本文脈にある現代思想の重要な課題はナショナリズムという神話を解体しようとしたことである。しかし、結果的にはそれが大衆からの乖離を招いたという危惧が北田の議論にある。この危惧は九〇年代においても小林よしのりの漫画『戦争論』(一九九八)が草の根の保守大衆と若者に大きな影響を有することによって現実となった。

他方、「現代思想」は同時に日本の植民主義・帝国主義の被害を受けた「民族」という集団的概念も相対化しながら、慰安婦のような具体的他者にその関心を移した。また、フェミニズム理論は、いままでの革新的な知識人になかった利器でもある。アジアの慰安婦問題は日本のフェミニズム運動と戦争責任問題とを結合させることに貢献した[17]。

戦争責任をめぐる認識の「現代思想」における変化は高橋哲哉（一九五六―）の九〇年代における議論のまとめからうかがい知れる。

（一）「戦争責任」にせよ「戦後責任」にせよ、「戦争」に焦点が当たることで、一九三七年から一九四五年までとされるアジア・太平洋戦争のみが問題であるかのような印象を与えることがある。しかし、今や問題は、日本近代史の全体である。とりわけ、沖縄、アイヌモシリから、台湾・朝鮮・樺太・南洋群島・満州など旧日本帝国のコロニアリズムの歴史全体が、近隣諸国の近代史との連関において問われている。しかもこれらは必然的に、「ナショナリズム・ヒストリーを超えて」問われるのである。

（二）戦争／戦後責任を回避してきた「戦後日本」のあり方が問われるのはもとより、そのような戦後日本が可能となった東アジアおよび世界の冷戦期の歴史がトランスナショナルな観点から問い直される。つまり、ここで〈歴史認識〉とは、一九四五年までの歴史にのみ関わるのではなく、それ以後の歴史全体を対象とする。

（三）〈歴史認識〉は「歴史学的認識」と同じではない。〈歴史認識〉とは、歴史学の成果を踏まえつつ、社会的世界における政治的・倫理的行為者として、「われわれはどこから来て、どこへ行くのか」という問いに答えようとするものである。それは、現在の関心に発した過去の反省と未来の構想を含んでおり、アクチュアリティーを本質とする。[18]

第三に、戦後日本の良心的な知識人における「アジア」とは多くの場合理念としての「アジア」でもある。それは侵略された「アジア」、同情の対象にある「アジア」、ないし「方法」としての「アジア」でもある。必ずしもアクチュアリティを持っているアジアそのものではない。この「方法としてのアジア」は戦後の批評家竹内好の言い方であるが、似たような用語に竹内の影響下にある溝口雄三の『方法としての中国』がある。[19] このような方法としての「アジア」「中国」は戦後において重要な思想的学術的ないし政治的意味を有していること、そしてそれによってある程度戦後思想の成果を産出することができたことを否定することはできない。しかし、九〇年代以後、冷戦の終焉、韓国の経済的飛躍、とりわけ中国の経済的軍事的台頭などによって戦後思想における、「方法としてのアジア／中国」の中国像はすっかり変わってしまった。その変化は同時に米中関係の変化によっていっそう深められた。

日本の知識人は戦後の五、六十年代において「西欧」の知的伝統（カント、ヘーゲル、特にマルクス、フロイト、ウェーバー、サルトルなど）、同時代の戦後西欧思想を主な知的枠組みに、補足的にないしそれと対抗的に「方法としての中国／アジア」を通して、「世界」「日本」そして「アジア」を見よう／解釈しようとしてきたといえよう。だとすると、七十年代から二〇〇〇年まではフランス知識人の解釈したドイツ近代思想を含むフランスの「現代思想」を中心に、「世界」「日本」「アジア」を見よう／解釈しようとしたのであろう（その流行りの追随者を除いて）。この期間においては「方法としての中国／アジア」が次第に弱体化してきたことは本書で述べてきた通りである。二〇一〇年代以後は、戦後の「方法としての中国／アジア」の知的思想的「伝統」が日本知識人思想史においてほとんど機能しなくなったと言ってよい。もちろんこれは現実における中国の国内政治の変化、中国の国際的地位の変化、とりわけ米中関係の変化を含む国際情勢の変化と関わっているが、本書で述べてきた通り、近代日本のある種の構造や、特に「戦後」の構造と密接に関わっている。

東アジアの共同体、ないしアジアの共同体が一番意味を持つはずの今日ではあるが、二〇二〇年以後の現在では、日本における「左派」であるはずの人々を含む社会の主流は、「アメリカ（の政府）」のみ（？）を通して「中国」を見る一般ジャーナリズムの構造に流されるままではないのか、と、正しいかどうかは知らないが、最近の筆者の印象である。[20] だとすれば、これは戦後思想及びそれと連続と断絶の両方の関係にある「現代思想」が退潮したあとの現象でもあろう。いずれにせよ、「戦後思想」において「中国」または「アジア」が「方法」としてすら意味を持たなくなる場合、それが日本の知識人思想史・学術史にもたらす意味は深遠なるものだろうと推測される。これも結果的には日本知識人の戦争責任問題・歴史認識問題、ひいては東アジアの和解に深遠なる影響を与えるものであろう。

〈注〉

（1）「長い戦後」とは例えば次の本のタイトルからも窺える。橋川俊忠『終わりなき戦後を問う』明石書店、二〇一〇、Carol Gluck, "The 'Long Postwar': Japan and German in Common and in Contrast," in Ernestine Schlant and J. Thomas Rimer eds., *Legacies and Ambiguities : Postwar Fiction and culture in West Germany and Japan* (Washington, D.C.: Woodrow Wilson Center Press ; Baltimore, Md. : Johns Hopkins University Press; 1991), pp. 63-78. 橋本明子『日本の長い戦後――敗戦の記憶・トラウマはどう語り継がれているか』山岡由美訳、みすず書房、二〇一七。「長い戦後」の複雑さは、次の本のタイトルからも窺いしれる。姜尚中、小森陽一『戦後日本は戦争をしてきた』（角川書店、二〇〇七）。

（2）John W. Dower, *Embracing Defeat: Japan in the Wake of World War II*, New York&London: W.W. Norton & Co./New Press, 1999, pp.542-543. 日本語訳は『敗北を抱きしめて（下）第二次大戦後の日本人』（増補版）、三浦陽一、高杉忠明訳、岩波書店、二〇一四年、三六二頁。

（3）「いまや経済の回復による浮揚力はほぼ使い尽くされた。なるほど、貧乏な日本のこと故、世界の他の国々に比べれば、消費や投資の潜在需要はまだ高いかもしれないが、戦後の一時期に比べれば、その欲望の熾烈さは明らかに減少した。もはや「戦後」ではない。我々はいまや異なった事態に当面しようとしている。回復を通じての成長は終わった。今後の成長は近代化によって支えられる。そして近代化の進歩も速やかにしてかつ安定的な経済の成長によって初めて可能となるのである。」経済企画庁編『経済白書』至誠堂、一九五六、四二～四三頁。

（4）丸山眞男「近代日本の知識人」『後衛の位置から——『現代政治の思想と行動』追補』未來社、一九八二、一一四頁。
（5）丸山眞男「戦争責任論の盲点」『戦中と戦後の間1936‐1957』みすず書房、一九七六、六〇一～六〇二頁。
（6）小熊英二『〈民主〉と〈愛国〉——戦後日本のナショナリズムと公共性』新曜社、二〇〇二、一六五頁。
（7）「市民社会派マルクス主義」（civil society Marxism）とはアメリカの日本史研究者バーシェイが「講座派の「特殊論」的マルクス主義の批判的な遺産継承者であった」内田義彦（一九一三－一九八九）、平田清明（一九二二－一九五五）、丸山眞男という三人の思想（特に前二者）について論じた際の用語である。アンドリュー・E・バーシェイ（Andrew E. Barshay）『近代日本の社会科学——丸山眞男と宇野弘蔵の射程』山田鋭夫訳、NTT出版、二〇〇七、二一五～二三五頁。
（8）この点について台湾の研究者である黄自進の論文が詳しい。「冷戰與東亞安全架構的起源：以「美日安全保障条約」為中心（1947‐1970）」、『思與言』二〇一九年十二月号、二四三～三〇七頁。
（9）玄武岩「グローバル化する人権——「反日」の日韓同時代史」岩崎稔等編『戦後日本スタディーズ3「80・90」年代』紀伊國屋書店、二〇〇八、一二五頁。
（10）「九条の会」のほかの七名の発起人はそれぞれ作家の井上ひさし（一九三四－二〇一〇）、哲学者の梅原猛（一九二五－二〇一九）、作家の大江健三郎（一九三五－二〇二三）、憲法学者の奥平康弘（一九二九－二〇一五）、作家・学者の加藤周一（一九一九－二〇〇八）、作家の澤地久枝（一九三〇－）、元首相三木武夫の夫人である三木睦子（一九一七－二〇一二）である。事務局長は小森陽一である。
（11）森政稔『戦後「社会科学」の思想』、一一八頁。
（12）小森陽一「冷戦構造と五五年体制崩壊後の日本社会」、岩崎稔等編『戦後日本スタディーズ3「80・90」年代』、七三頁。

(13) 森政稔『戦後「社会科学」の思想』、二三〇頁、二二六頁。

(14) バーシェイ、前掲書、一四六頁、二二一頁。

(15) 石崎嘉彦、紀平知樹、丸田健、森田美芽、吉永和加『ポストモダン時代の倫理』ナカニシヤ出版、二〇〇七、一六頁、一八頁。

(16) 北田暁大、小森陽一、成田龍一「ガイドブック80・90年代」岩崎稔等編『戦後日本スタディーズ3 「80・90」年代』、三七〜三八頁。

(17) 例えば上野千鶴子『ナショナリズムとジェンダー』青土社、一九九八。本書は女性の国民化の問題を扱った。

(18) 高橋哲哉「序文」高橋哲哉編『〈歴史認識〉論争』作品社、二〇〇二、三頁。

(19) 竹内好『方法としてのアジア——わが戦前・戦中・戦後1935-1976』創樹社、一九七八。溝口雄三『方法としての中国』東京大学出版会、一九八九。他方、この「方法としての中国/アジア」は日本のみの現象だとは思わない。一九六〇年代のフランス知識人であるフーコー、アルチュセール、クリステヴァ、デリダ、ラカンなどのマオイスト体験は程度こそ違えその典型である。また、ベトナム戦争反対運動の文脈のなかに、アメリカのポスト・マッカーシー主義世代の「アジア」「中国」体験もその例でもある。後者に関しては、Fabio Lanza, *The End of Concern: Maoist China, Activism, and Asian Studies* (Durham: Duke University Press, 2017) を参照されたい。ここで強調したいのは日本の「方法としての中国/アジア」は戦後欧米知識人と重なりながらもそれは近代日本の重い影のもとにある点においては異なることをここで強調したい。

(20) ポストコロニアル状況においてパックス・アメリカーナと日本の国民主義との関連をめぐる酒井直樹の論文がこの問題を「長い戦後」の文脈において思考する一助となる。酒井直樹「パックス・アメリカーナの終焉とひきこもりの国民主義——西川長夫の〈新〉植民主義をめぐって」、『思想』二〇一五年七月号、岩波書店。「野蛮」や「独裁」「停滞」などを新たな自己を映す他者として設定するコロニアルな「二項対立主義」については、小森陽一『ポストコロニアル』岩波書店、二〇〇一が示唆的である。

あとがき

一九九九年に私が一留学生として中国から来日した際に当時いわゆる「現代思想」のブームを実感し、とてもショックを感じていた記憶は今でも鮮やかである。私の留学はむしろそのショックからスタートしたと言っても過言ではない。最初の一年は図書館でそれまで二十年間の『思想』『現代思想』（特に前者）を中心に「現代思想」関係の論文を大量に収集し、日本語外来語のジャーゴンに満ちた論文や著書を必死に読んで理解しようとしていた。その過程において自分自身もある種の知的な洗礼を受けたが、同時に学問的にはその洗礼を極力自分で相対化しようとしてきた。欧米では日本ほど熱狂的ではないはずだという想定でそれを日本知識人思想史のユニークな現象として近代日本の脈絡に位置付けながら見てきた。そしてこの思潮はきっと近代日本の知識人思想史の何らの構造と関係しているはずだと思ってきた。本書はあくまでも一東アジア（近代日本と中国）の歴史を（思想史、文学史などを含めて）研究してきた者の上のような関心の結果である。

いまの時点で一九七〇年から二〇一〇年代までの約四十年間の思想を歴史化させようとすること

は言うまでもなくある種の知的冒険である。また学際的なトピックでもある。しかし、他方、学問的にこのトピックの魅力も感じていた。二〇一八年の夏に私は清末革命研究の著書を中国で刊行したが、中国語での中国研究の単著の中国本土での初めての出版であった。そのためもあり、出版する前はたいへん不安な気持ちであった。今度の著書も私の初めての日本語での日本研究の単著であるため、読者がどのように本書を受け止めるのか、中国での単著の時以上に不安である。いずれにせよ、拙著を手にする読者の皆様に深く感謝したい。

本書は二〇一三年から二〇一九年夏まで東京大学の駒場キャンパスでの講義の一部をベースにしたものである。ここで特に講義に出た学生・大学院生諸君に感謝の意を申し上げたい。また、様々な場においてコメントをいただいた方々にも感謝したい。

このような本の形にすることができたのも白澤社の吉田朋子さんと坂本信弘さんの長年のご信頼に負うものである。私と同じ年の坂本信弘さんの同時代の読書経験は私にとって貴重なものである。本書の中で議論した方も一部含めて私は色々と教わったため一々お礼を申し上げるべきであるが、本の性質から敢えてその感謝を心の中に止めたい。

末筆ながら、長年職場の同僚たちからたいへんお世話になった。この場を借りて自分の所属である表象文化論研究室（大学院）・教養学部中国語部会（学部前期）／現代思想コース（学部後期）の同僚たちに深い感謝の意を申し上げたい。また、大学院生時代に留学生であった私に奨学金をご支援してくださった財団（アジア21財団、ロータリー米山記念奨学金、渥美奨学金）の皆様にも感謝したい。

日本留学は私の人生を深く変えたことに改めて感謝の意を申し上げたい。

二〇二一年三月二日

得体の知れない、もやもやした未来への不安の中で初校を終えた。

二〇二二年十一月十三日　マカオ大学にて

著者　識

【ら行】

【わ行】

【その他の欧文人名】

【ま行】

【や行】

【な行】

【は行】

【さ行】

【た行】

【か行】

人名索引

【あ行】

《著者略歴》

林少陽（りんしょうよう、Lin Shaoyang）

1963年中国広東省生まれ。1983年、アモイ大学卒業。吉林大学修士、東京大学博士（学術）。東京大学大学院総合文化研究科言語情報科学専攻助手、同教養学部特任准教授、香港城市大学准教授、東京大学大学院総合文化研究科表象文化論研究室准教授、同教授、香港城市大学教授を経て、2022年9月より澳門大学歴史学科教授。

著書に『「修辞」という思想――章炳麟と漢字圏の言語論的批評理論』（白澤社）、中国語著書に『「文」與日本学術思想――漢字圏・1700－1990』（北京：中央編訳出版社）、『鼎革以文：清季革命與章太炎「復古」的新文化運動』（上海人民出版社）、などがある。

戦後《せんご》思想《しそう》と日本《にほん》ポストモダン――その連続《れんぞく》と断絶《だんぜつ》

2023年8月22日　第一版第一刷発行

著　者　林少陽

発　行　有限会社 白澤社《はくたくしゃ》

〒112-0014　東京都文京区関口1-29-6　松崎ビル2F

電話03-5155-2615／FAX 03-5155-2616／E-mail：hakutaku@nifty.com

https://hakutakusha.co.jp/

発　売　株式会社 現代書館

〒102-0072　東京都千代田区飯田橋3-2-5

電話　03-3221-1321㈹／FAX　03-3262-5906

装　幀　装丁屋KICHIBE

印刷・製本　モリモト印刷株式会社

用　紙　株式会社市瀬

 ISBN978-4-7684-7998-8